The Last Lecture

最後的演講

蘭迪・鮑許
Randy Pausch
with
傑弗利・札斯洛
Jeffrey Zaslow

陳信宏 譯

感謝我的父母允許我恣意夢想，
盼望我子女將來的夢想也有機會實現。

目錄

各界佳評

（依推薦人姓氏筆劃排序）

如果老師家長學生都來讀這本書，我們的教育成果絕對倍增！而政治人物也該來看這本書，修煉自己的胸懷與言行。

——飛碟電台節目主持人　光禹

「面對每一天都把它當成生命的最後一天，即便今天結束也了無遺憾。」這個認知我們都知道卻不一定做得到，但鮑許教授確實做到了！

——名導演　吳念眞

很多人躊躇在人生的十字路上總是會問自己：「我幸運嗎？」《最後的演講》這本書道出人生什麼是無奈、什麼是遺憾、在你人生中最需要的是什麼。

無奈原因是，作者蘭迪．鮑許是一位快樂的教授，除了認眞在學校教學事務上，還擁有一個幸福又快樂的家庭，只是幸福與快樂竟在一天之內變成人生中的無奈，因爲上帝狠狠對他開了一個玩笑——蘭迪得了胰臟癌。

可是，蘭迪並沒有放棄生命中存在的正面價值態度，反而勇敢、開朗去面對死亡，讓自己生命不要有遺憾。

義傑這幾年在社會支持下，走過地球無數荒野之地。自己在面對生命的挑戰與冒險之間，就是抱持著不讓自己生命中的無奈在十年後變成遺憾的態度。

很高興能爲台灣讀者介紹這本新書《最後的演講》，希望讀者閱讀後都能去挑戰自己生命中的無奈，不讓它成爲生命中的遺憾。

——極地冒險家　林義傑

這是一本非常令人感動的好書，作者的人生觀、價值觀，尤其他面對死亡的勇氣令人感佩。這麼好的老師天不假以英年，令人感嘆人生無常，卻更令我們知道要把握時光，活在當下。所有的人都應該閱讀本書，它會帶給你智慧，令你的人生無憾。

——陽明大學神經科學研究所教授　洪蘭

和作者鮑許教授一樣，我也是個擁有二子一女的父親，也因此，這本充滿希望與啓發性的書特別能觸動我心弦。在書中，鮑許教授談到父母應該鼓勵孩子培養興趣並以熱情探索這世界，我完全認同。我們應該提供一個可讓孩子發揮創造力的空間，並讓孩子們和宇宙萬物建立尊重與慈悲的互動，孩子自然可以發揮最高的潛能，倒不應該有「追求成功」的觀念。在這過程中，孩子的快樂比什麼都重要。此外，在面對疾病的威脅時，鮑許教授始終樂觀積極，坦然面對並放下，「重點是怎麼過你的人生」。我想，這是值得我們所有人學習的。

——長庚生物科技　楊定一博士

這是我所見過最具啓發性的演講⋯⋯

——和碩聯合科技投資長　蘇豔雪

推薦序

是什麼力量能讓所有人感動落淚？

李開復

我的同學和朋友蘭迪．鮑許教授的新書《最後的演講》，來自於他在我們的母校卡內基美隆大學所作的一場風靡全美的演講，題目是〈全力實現兒時夢想〉。演講的影片在各個網站上被點播了上千萬次；《華爾街日報》把身患胰臟癌的鮑許教授的這場演講稱爲「一生難覓的最後演講」。我有幸參與了這場演講的中文字幕版在中國的推出，數百位中國學生被蘭迪的演講所感動，製作了一張電子賀卡，透過我轉給了蘭迪。在世界被抹平的時代，蘭迪的「最後的演講」已經造成了廣泛的影響。現在，本書在台灣的出版可以讓更多的讀者受惠。我很榮幸能夠爲這樣一本書寫序。

這本書裡有許多蘭迪的至理名言。蘭迪說：「我們改變不了事實，只能決定自己要怎麼因應。我們改變不了上天發給我們的牌，只能決定怎麼打這手牌。」我想，任何人如果有了這樣的心態，無論是面對病痛的折磨，還是人生的失意，他都能用一次次漂亮的出牌，實現自己最大的價值。

蘭迪此次演講的主題是「全力實現兒時夢想」。其實，蘭迪教授自己的成長歷程，正是追尋和實現夢想的最佳示範。例如，他兒時的一個夢想，是進入迪士尼的夢想工程公司設計雲霄飛車。長大後，雖然他多次收到迪士尼公司寄給他的回絕信，但他沒有氣餒。終於有一次，蘭迪在一個學術會議上發表演講後，一位夢想工程公司的工程師向他提問，蘭迪回答說：「我很願意回答你的問題，可是我先請問你，明天能不能和我共進午餐？」這次午餐終於讓夢想工程公司認識了蘭迪，此後不久，他就得到了夢想工程公司的工作邀請。

成爲教授後，蘭迪在卡內基美隆大學開了一個「圓夢」的課程，讓各科系的學生在一起用虛擬實境技術，開發一項完成童年夢想的項目。爲了這個做「圓夢者」的機會，他最後拒絕了夢想工程公司的邀請。爲了長大後發現的新夢想，他放棄了兒時的夢想。但是，如果不是追逐兒時的夢想，他又怎麼會找到長大後的新夢想呢？

蘭迪有一顆感恩的心。他勸我們隨時心存感激，多想別人，少想自己。他在演講中當場推出了一個大蛋糕，爲妻子慶祝生日，以表達對妻子的眞情（妻子上台後，在他耳邊低喃了一句話，這在影片中，我們無法得知，但蘭迪在書裡有透露）。他也多次表示對恩師教誨的感激。蘭迪教授的感恩之心，以及他的眞誠，打動了他周圍的人。我的一

位朋友在參加了那次演講後說：「我從來沒有見過那麼多成年人在一起失控並痛哭，連我們最嚴肅的校長和一位最嚴厲的教授，都被他打動而失聲落淚。」

關於此次演講，蘭迪教授有兩個結論：

第一，「今天的演講重點不在於如何實現夢想，而是如何過你的人生。你只要以正確的方式過活，上天自然會眷顧你，夢想自然會實現。」

第二，「這場演講的對象不是各位，而是我的子女。」

現在，蘭迪教授在這次講座的基礎上，出版了《最後的演講》一書，如果讀者朋友先前看過影片已經十分感動，請別忽略這本書中更多他深層情感的表露。對大家來說，這是一份多麼珍貴的精神財富呀！我相信他的三個孩子會依據這「最後一課」來引領他們的一生。我也相信，經過網際網路和書籍的傳播，更多的孩子會在蘭迪的影響下，追尋自己的夢想和更加精采的一生。

（本文作者為Google全球副總裁暨大中華區總裁，同時也是蘭迪．鮑許的同班同學）

說在前頭

我有個工程問題。

我的身體雖然大致上還算健康，肝臟裡卻有十顆腫瘤，只剩下幾個月可以活了。

我是三個小孩的父親，太太是我夢想中的完美女子。我大可自怨自艾，但這麼做不論對他們或是對我都沒有任何好處。

那麼，我該怎麼度過這段非常有限的時間呢？

比較容易做到的部分，就是和家人相處，好好照顧他們。趁我還在人世上，我要深切把握和他們共處的每一個時刻，並且做好各種必要的準備，讓他們不至於在我離開之後不知所措。

另一個比較不容易做到的部分，則是該怎麼把我未來二十年原本會教給子女的事情提前教給他們。他們現在年紀還太小，沒辦法和他們談這些事。父母都想教導子女辨別是非，都想把我們認爲重要的事情傳授給他們，也想要教會他們因應人生中的各種挑

戰。我們還希望他們知道我們的人生經歷，藉此指引他們過好自己的人生。爲了盡到父母的這種責任，於是我在卡內基美隆大學發表了一場「最後的演講」。

這類演講都會錄影存檔。我非常清楚自己發表那場演講的目的。雖然表面上我是發表了一場學術演說，但我實際上的用意是要製作一份瓶中信，希望這個瓶子日後能夠沖刷到我子女的人生沙灘上。我如果是畫家，就會爲他們畫一幅畫；我如果是音樂家，就會創作一首樂曲。但我是老師，所以我在學校發表演說。

我在演講上談到生命的喜悅，談到我有多麼熱愛生命，雖然我自己的生命已經所剩無多。我談到誠實、正直、感恩，以及我所鍾愛的其他特質。我也竭盡全力不讓演說呆板乏味。

這本書的目的，是要延續我在講台上所展開的工作。由於時間珍貴，而且我又希望把時間盡量放在孩子身上，因此請了傑弗利·札斯洛幫忙。每天，我都會在住家附近騎自行車，因爲運動對我的健康至關緊要。在五十三次的長途自行車運動期間，我都一面騎車，一面透過行動電話耳機與傑弗利通話。然後，他花了許多時間整理我口述的內容——事後想來，應該可以稱之爲五十三場「演講」。他努力的成果，就是現在這本書。

我們從一開始就非常明白，這一切都不足以取代一個活生生的爸爸。不過，工程的重點本來就不在於找出完美的解決方案，而是如何以有限的資源盡力達到最佳的成果。那場演講還有這本書，都是我爲了達到這個目標而做的努力。

一

最後一場演講

1 光榮退場

有很多教授都發表過題目爲「最後一場演講」的演說，你可能也聽過這類演講。

這種演說在大專校園裡已然成爲慣例。教授經常受邀思考自己人生的大限，藉此談論自己認爲最重要的事情。聆聽這樣的演說，聽眾總是不免想到這個問題：如果我們知道自己的人生已經走到了盡頭，會有哪些智慧之語要告誡後人？如果明天我們就不在人世，那麼我們希望留下什麼樣的榜樣？

多年來，卡內基美隆大學持續舉辦「最後的演講系列」課程。不過，等到主辦單位請我發表演說的時候，這個系列已經改名爲「人生旅程」，希望受邀的教授「回顧自己私人生活與職業生涯的旅程」。這樣的描述看起來並不特別吸引人，但我同意遵循這項原則。他們把我的演說時間排定在九月。

那時候我早已檢驗出了胰臟癌，但我頗爲樂觀。說不定我會是少數得以存活下來的

幸運者。

在我接受治療的期間，主辦單位仍然不斷寄電子郵件給我，問我：「您的演講內容會談些什麼？請提供演說大綱。」學術界的形式慣例絕對不能省略簡化，就算你有其他的事情要忙，甚至是忙著要保住性命，也一樣不能便宜行事。到了八月中，主辦單位表示已經必須印刷演講海報，所以我一定要決定演說的題目。

不過，我也就在那個禮拜得知了這項消息：最近一次的治療結果無效，我只剩下幾個月的時間可活了。

我知道我可以取消演說，別人一定能夠體諒。突然間，我有好多其他的事情要處理。我必須因應自己的哀傷情緒，也必須撫慰愛我的人。我必須投注全部心力，把家裡的事務理出頭緒。但儘管如此，我卻沒辦法把那場演講拋在腦後。想到自己能夠發表一場眞正是人生中的最後一場演講，我就不禁躍躍欲試。我能說些什麼？聽眾會有什麼樣的反應？我的健康狀況有可能讓我講完全程嗎？

「他們會讓我取消，」我告訴我太太潔伊：「可是我眞的很想發表這場演說。」

潔伊向來是我的啦啦隊。只要我對某件事物感到熱中，她也總是一樣熱中。不過，她對這場所謂最後的演講卻頗爲持疑。我們剛從匹茲堡搬到維吉尼亞州東南部，以便在

我去世之後，能夠讓潔伊和孩子們離她娘家近一點。潔伊認爲我應該把我珍貴的時間用來陪伴孩子，或者整理新家，而不該花時間撰寫講稿，並且跑回匹茲堡去發表演說。

「你可以說我自私，」潔伊說：「可是我要霸占你。你在這場演說上花多少時間，就等於是浪費了多少時間，因爲這些時間都不是用在陪伴孩子們和我。」

我了解她的立場。自從我生病以來，我就暗自發誓要順從潔伊的意思，尊重她的願望。我認爲自己有義務盡力減輕她因爲我的疾病而承受的重擔，所以我才會花那麼多時間爲我家人將來沒有我的生活預做準備。儘管如此，我還是擺脫不了想要發表這場最後演講的念頭。

在我的學術生涯中，我發表過不少相當精采的演說。不過，在資訊科學系所裡被人稱爲最佳的演說者，就像是被人讚譽爲七矮人裡最高的一個。一時之間，我突然覺得自己還有更多的東西可以和別人分享。我覺得我如果把全副心思放進去，也許能夠提供別人一些特殊的東西。說「智慧」也許有些誇大，但這說不定就是我能夠分享給別人的東西。

潔伊還是不贊同我的想法。最後，我們只好向萊絲（Michele Reiss）尋求建議。她是一位心理治療師，我們在幾個月前開始接受她的諮商。她的專長在於幫助有成員罹患

羅根、克蘿怡、潔伊、我，還有狄倫。

絕症的家庭。

「我了解蘭迪，」潔伊向萊絲醫師說：「他是工作狂。我知道他一旦開始準備這場演說，就會變成什麼模樣。他一定會把所有精力都投注在上面。」她認爲我們目前面對的問題已經非常艱鉅，準備這場演講只會增加不必要的負擔。

潔伊不高興的原因還有另外一個：依照學校安排的演講時間，我必須前一天就飛到匹茲堡，而那一天正是潔伊的四十一歲生日。「這是我們最後一次能夠共度我的生日，」她對我說：「你眞的要在我生日當天拋下我嗎？」

當然，想到要在那一天拋下潔伊，對我來說也是相當痛苦。不過，我還是擺脫不了發表演說的念頭。我已經把這場演講視爲我職業生涯的最後一刻，藉此向我的「職業家庭」道別。我甚至不免做起美夢，希望自己能夠發表一場精采的最後演講，就像即將退休的棒球強打把生涯中的最後一顆球轟上上層看台。我一直很喜歡《天生好手》這部電影的結尾，在那一幕裡，年老又受傷的主角哈布斯，奇蹟般地擊出了一記高飛全壘打。

萊絲醫師聽完了潔伊和我的說詞之後，才開口說話。她說，在她眼中看來，潔伊是個非常重視感情的堅強女性，原本希望花上數十年的時間和丈夫一起建立美滿的生活，把孩子養大成人，但現在我們能夠相處的日子卻突然壓縮爲只有幾個月的時間。至於

我，她則認為我還沒準備好要完全隱退於家庭生活中，更不打算就此放棄人生。「這場演講可以讓我所關心的許多人最後一次看到活生生的我，」我語氣堅決地告訴她：「藉由這個機會，我可以好好思考哪些東西對我來說才是真正重要，可以奠定別人在我死後對我留下的印象，也可以讓我在告別人世之前發揮一點正面的影響力。」

萊絲醫師不只一次看著潔伊和我坐在她辦公室的沙發上，緊緊抱著對方流淚。她說她看得出來我們對彼此非常尊重，也經常被我們努力要走好最後這一段路的決心所感動。不過，她說她沒有資格對我是否應該發表這場演講提供意見。「你必須自己決定。」她說，並且鼓勵我們認真聆聽對方所說的話，唯有如此才能做出對我們兩人都正確的決定。

由於潔伊對這件事情不太願意多說，所以我知道我必須誠實檢視自己的動機。這場演講對我為什麼這麼重要？我是不是希望藉此讓自己還有其他人知道我其實還健在？是不是想要證明自己還有足夠的毅力交出優秀的工作表現？還是我熱愛成為別人的注目焦點，只想最後再上台賣弄一次？這些問題的答案都是肯定的。「受傷的獅子還是想知道自己能不能吼叫，」我向潔伊說：「這是自尊和自信的問題，不完全是虛榮心。」

實際上還有另外一項因素。我已開始把這場演說視為一道媒介，可以讓我參與那個

我自己無法活著看到的未來。

我向潔伊提醒了孩子們的年齡：五歲、兩歲、一歲。「妳看，」我說：「狄倫現在五歲，我猜他長大以後應該對我還會有一點記憶，但他實際上會記得多少？譬如妳和我，我們現在還記得五歲時候的事情嗎？狄倫會不會記得我怎麼和他一起玩耍，或是我們曾經因為哪些事情一起歡笑過？他頂多只會留下模模糊糊的印象。還有羅根和克蘿怡呢？他們可能根本什麼都記不得，尤其是克蘿怡。我可以告訴妳：孩子們長大之後，一定會經歷一段對自己的爸爸深感好奇的時期。他們一定會很想知道：『我爸爸是誰？他是什麼樣的人？』這場演講多多少少能夠為他們的問題提供答案。」

我對潔伊說，我會要求卡內基美隆大學一定要把演講內容錄下來。「我會拷貝一片DVD給妳。等孩子長大以後，妳可以放給他們看，這樣他們就比較能夠了解我是什麼樣的人，能夠知道我關懷哪些事情。」

潔伊聽完我的話，然後提出了一個顯而易見的問題：「你如果有什麼話想對孩子們說，或是有什麼忠告要提出來給他們，為什麼不乾脆把攝影機架在腳架上，直接在客廳裡面錄下來就好了？」

這個問題可能問倒了我，但也可能沒有。一如叢林裡的那頭獅子，能夠讓我感到

快活自在的棲息地，仍然是大學校園，在學生的面前。「我學到了一件事，」我告訴潔伊：「父母如果想對小孩說些什麼話，最好可以獲得別人的背書。我如果能夠讓聽眾在適當的時機歡笑鼓掌，孩子們可能會更願意接納我所傳達的訊息。」

潔伊向我這個大限不遠的表演者微微一笑，終於退讓了。她知道我一直想要找些方法為孩子們留下榜樣。好吧，也許這場演講可以達到這個目的。

於是，在潔伊的首肯下，我現在面臨了一項挑戰。我該怎麼做，才能讓這場學術演講在十年或甚至更久以後還能引起子女的共鳴呢？

可以確定的是，我絕對不要把這場演講的焦點放在自己的癌症上。我的醫療過程就是這樣，我也已經一次又一次地經歷過了。我不想述說自己和這場疾病奮戰而獲得的洞見，也不想說這段抗戰過程怎麼改變了我的人生觀。大多數人可能都預期這場演講的內容離不開死亡，但我堅決認為人生才應該是這場演講的重點。

＊＊＊

「我為什麼獨特？」

這是我覺得自己一定要回答的問題。回答這個問題也許能夠幫助我釐清自己要談的

內容。我和潔伊坐在約翰霍普金斯醫院的候診室裡，等著又一份的病理報告。我利用這段時間拋出各種想法，要她幫我一起參酌。

「得癌症不是我獨特的原因。」我說。這點毋庸置疑。光是胰臟癌，每年就有三萬七千名美國人罹患這種疾病。

我努力想著該怎麼定義自己的身分：老師、電腦科學家、丈夫、父親、兒子、朋友、兄弟、學生的指導者。這些都是我所重視的角色，可是其中有哪個角色眞的令我與眾不同嗎？

我雖然向來對自己頗有自信，但我知道這場演講不能只是自吹自擂。我捫心自問：「我個人究竟有什麼東西能夠提供給別人？」

就在那一刻，在那間候診室裡，我突然體認到了自己的獨特之處究竟何在。這個念頭一閃而過：不論我有什麼成就，我對各種事物的熱愛其實都源自於我兒時的夢想與目標……以及我在達成大多數夢想的過程中所付出的努力。我突然明白，我的獨特之處就在於形塑我這四十六年人生的所有夢想——不論是深富意義的理想，還是各種怪異的幻想。坐在候診室裡，我知道儘管自己罹患了癌症，但我仍然眞心認爲自己非常幸運，原因就是我實現了那些夢想。而且，我之所以能夠實現那些夢想，則是因爲有許多了不起

的人物在我的人生路途上教了我很多東西。我如果能夠以我內心感受到的熱情講述自己的人生故事，這場演說也許能夠幫助別人找到實現夢想的途徑。

當時我的筆電就帶在身邊。有了這樣的頓悟，我隨即打了一封電子郵件給演講主辦單位。我說我總算想出了題目。「很抱歉拖延了這麼久，」我寫道：「題目就叫做『全力實現兒時夢想』。」

2 筆電裡的人生

我究竟該怎麼把自己的兒時夢想列出來？我該怎麼喚起別人對兒時夢想的回憶？身爲科學家，這實在不是我習於思考的問題。

整整四天，我待在維吉尼亞州的新家裡，坐在電腦前面，一面瀏覽幻燈片和相片，一面製作我在演說中所要播放的投影片。我向來偏重於視覺思考，所以我知道我不會寫下文字講稿。不過，我蒐集了三百張家人、學生，以及同事的照片，還有數十張能夠用於闡釋兒時夢想的滑稽插畫。我在其中幾張投影片打上了幾句話——短短的忠告或者箴言。我上台之後，這些語句就能提醒我該說些什麼。

我一面準備演說的資料，卻也每隔九十分鐘就起來和孩子們說說話、玩玩遊戲。潔伊雖然看到我努力維持與家人的互動，但仍然認爲我花了太多時間在這場演說上，尤其是我們才剛搬進新家而已。她自然希望我先處理家中堆得到處都是的紙箱。

潔伊原本不打算出席那場演講。她覺得自己必須待在維吉尼亞陪伴孩子，並且處理搬家後的各種事務。我一直對她說：「我希望妳在場。」實際上，我眞的非常需要她在場。於是，她終於同意在演講當天早上搭機到匹茲堡。

不過，我卻必須提前一天到那裡去。所以，在九月十七日，也就是潔伊滿四十一歲的那一天，我在下午一點半和她還有孩子們親吻道別，然後開車到了機場。我們前一天在她哥哥家裡舉辦了一場小型派對，提前慶祝了她的生日。儘管如此，我在她生日當天出發，還是會引起不愉快的聯想，讓她不禁想到往後的生日再也沒有辦法和我一起度過。

我在匹茲堡降落之後，隨即在機場和我的朋友史提夫．西柏特（Steve Seabolt）會面，他剛從舊金山飛過來。我們的友誼建立於許多年前，當時我利用特休到藝電（Electronic Arts）這家電玩公司短暫工作了一段時間，史提夫則在那家公司擔任主管。我們發展出親如兄弟的情誼。

史提夫和我互相擁抱，然後租了一輛車，一面開車，一面說著黑色笑話。史提夫說他剛看過牙醫，我隨即吹噓自己從此以後再也不必忍受看牙醫的痛苦。

我們在當地一家餐館停下來吃東西，我把筆電放在桌上，把我的投影片快速瀏覽了一遍，這時已刪減到兩百八十張。「這樣還是多得太誇張了，」史提夫說：「等你講

完，大家都死了。」

餐館裡的女侍是個三十出頭的孕婦，一頭淡黃色頭髮。她走到我們桌前，電腦螢幕上剛好顯示出一張我子女的照片。「好可愛。」她說，然後問了他們的名字。我向她說：「這是狄倫、羅根、克蘿怡……」她說她女兒也叫克蘿怡，於是我們相視而笑。史提夫和我一再重複檢視我的投影片，由他幫我集中演說的焦點。

女侍送上餐點的時候，我爲她肚裡的孩子向她賀喜。「妳一定很高興。」我說。

「那倒沒有，」她答道：「這胎是意外。」

她走開之後，我不禁爲她這句坦白的回答而充滿感慨。她漫不經心的答話就像是一道提醒：在人生的起始和結束，「意外」這項因素都扮演了重要的角色。這名女侍意外懷了個孩子，但日後必然會對他疼愛有加；我則是意外罹患了癌症，而不得不拋下我的三個子女。

一個小時後，我獨自待在旅館房間裡，繼續刪減及重整投影片裡的影像，腦海裡仍然一再縈繞著我的子女。旅館房間裡的無線網路時斷時續，搞得我滿肚子火，因爲我還在網路上找尋合適的圖片。更糟糕的是，我在幾天前接受的化療也在這時候開始產生副作用，出現痙攣、反胃，以及腹瀉等症狀。

我工作到半夜才沉沉睡去，早上五點卻在一陣恐慌中驚醒過來。我內心有一部分抱著否定的態度，認爲這場演說絕對不會成功。我在心裡對自己說：「你想在一個小時裡講完一輩子的故事，難怪會搞成這樣！」

我一再修改、重新思考、重新整理。到了上午十一點，才覺得總算理出了一套比較像樣的敘事結構，說不定可以行得通。我沖了個澡，換上衣服。中午，潔伊從機場搭車到了飯店，和我還有史提夫共進午餐。我們在餐桌上的談話相當嚴肅，史提夫矢言一定會幫忙照顧潔伊和孩子們。

下午一點半，校方把我在其中度過大半生的電腦實驗室題獻給我；我看著他們揭開布幕，大門上方掛著我的名字。下午兩點十五分，我在自己的辦公室裡，又開始感到化療的副作用——渾身乏力、噁心反胃。我不禁納悶自己是不是必須把爲防萬一而帶在身邊的成人尿褲穿著上台。史提夫叫我在辦公室的沙發上躺下來休息一下。我聽從了他的建議，但還是把筆電放在肚子上，繼續修改我的投影片。我又刪減了六十張。

下午三點半，已經有少數人開始排隊等著聽我演講。下午四點，我從沙發上爬起來，把我需要的配備帶齊，準備穿越校園，走到演講廳去。不到一個小時，我就必須上台了。

3 打開天窗說亮話

潔伊已經提早到了演講廳。沒想到居然爆滿，演講廳裡的四百個位子座無虛席。我跳上台去查看講桌的狀況，整理演說的材料，她已看出我內心有多麼緊張。我忙著安置所需的設備，潔伊卻注意到我的目光幾乎沒有和任何人接觸。她心想我可能不敢直視台下的聽眾，以免看到朋友或是過去的學生而情緒潰堤。

我一面準備，聽眾當中也發出微微的騷動聲。如果有人想看胰臟癌末期患者是什麼模樣，看到我一定會有不少疑問：我的頭髮是眞的嗎？（沒錯，我在化療期間保住了整頭頭髮。）他們會不會在我的演說當中感覺到我距離死亡有多麼近？（我的回答：「等著瞧吧！」）

演講雖然只剩幾分鐘就將開始，我卻還在講桌前忙東忙西，繼續刪減投影片、重新整理資料。我還沒忙完，他們就向我打了訊號。「可以開始了。」一個人對我說。

* * *

我沒有穿西裝外套，也沒有打領帶。我不打算穿那種教授常穿的粗呢外套，手肘上還有補釘。爲了這場演說，我決定找出衣櫥裡最切合童年夢想的服裝。

我承認，我乍看之下就像是速食餐廳外帶窗口的服務生。不過，我這件短袖polo衫上的標誌卻是一種榮譽的標章，因爲這是迪士尼夢想師的服裝。所謂的夢想師，就是在主題樂園裡打造各種幻想世界的藝術家、作家，以及工程師。一九九五年，我利用六個月的特休擔任夢想師的工作。那是我人生中的一大高潮，是我兒時夢想的實現。所以我還別上了當時迪士尼發給我的橢圓形「蘭迪」名字徽章。我穿上這件衣服就是爲了見證那段人生經歷，也向華德·迪士尼致敬，因爲他曾經說過這句名言：「只要你夢想得到，就做得到。」

我首先感謝聽眾前來參加這場演講，接著開了幾個玩笑，然後說：「假如在座有人不小心走了進來，還不曉得這場演講的背景，我爸爸以前總是對我說，一旦發現有什麼難以啓齒的事情，就直接打開天窗說亮話。所以，只要看看我的電腦斷層影像，就會發現我的肝臟裡面約有十顆腫瘤，醫生說我還可以過三到六個月的健康生活。這是我在一

個月前聽到的話，所以各位可以自己算算我還剩多少時間。」

我在投影幕上播放出一大張我的肝臟的電腦斷層影像。這張投影片的標題寫著：「難以啓齒的問題」，而且我還在圖片上體貼地加上紅色箭頭，指出一顆顆的腫瘤。

我沒有立即切換掉這張投影片，好讓聽眾跟著箭頭數一數我的腫瘤數目。「好了，」我說：「事情就是這樣，我們改變不了事實，只能決定自己要怎麼因應。我們改變不了上天發給我們的牌，只能決定怎麼打這手牌。」

那一刻，我覺得自己健康又完整，回復成為昔日的蘭迪，就像手裡的牌拿到一支葫蘆（編按：撲克牌遊戲中，由三張相同的牌和兩張相同的牌組成的牌組）那樣的興奮活躍。

我知道我外表看起來也相當健康，所以有些人可能難以想像我已經來日無多。於是，我也直接挑明了這一點。「如果我看起來不像你們想像的那麼消沉鬱悶，那麼很抱歉，讓大家失望了。」我說。

等聽眾笑過之後，我又接著說：「我向各位保證，我絕對不是逃避現實。我完全了解自己的狀況。我的家人——三個孩子，還有妻子——我們剛搬完家。我們在維吉尼亞買了一棟很漂亮的房子。我們之所以這麼做，原因是搬到那裡對他們將來的生活會比較

好。」我秀出我們剛買下的市郊住宅，照片上方的標題寫著：「我沒有逃避現實」。

我要說的重點是：潔伊和我決定把我們的家連根拔起，搬到另一個地方去。為了這項決定，我請求她離開她心愛的家，還有關心她的朋友；也把孩子們帶離了他們在匹茲堡的玩伴。我們大可以窩在匹茲堡，等著我的死期到來，但我們卻打包了我們原有的生活，投入自己促成的一場劇烈變動當中。我們之所以搬家，原因是我們知道我一旦撒手人寰，潔伊和孩子們必須住在她的娘家附近，以便獲得親人的幫助與關懷。

我也想要讓聽眾知道，我看起來容光煥發，也覺得神清氣爽，原因是我在經歷了對體力影響極大的化療及放射線治療之後，身體狀況已經逐漸恢復。現在，我接受的是比較容易忍受的緩和性化療。「我現在的健康狀況非常好，」我指出：「我的意思是說，你們這輩子遇得到最誇張的認知失調現象，就是我現在非常健康。實際上，我比在座的大多數人都還要健康。」

我走到了講台中央。幾個小時前，我還不確定自己是不是有足夠的體力能夠發表這場演說，現在我卻覺得充滿勇氣與活力。我趴了下來，做了幾下伏地挺身。

在聽眾的笑聲還有意外之餘的鼓掌聲下，我似乎聽到所有人共同鬆了一口氣。台上的講者不是個垂死的人，就只是我而已。於是，我終於可以展開我的演說了。

二

全力實現兒時夢想

我的兒時夢想

- 體驗零重力狀態
- 進入國家美式足球聯盟打球
- 撰寫《世界百科全書》裡的文章
- 當上柯克艦長
- 贏得填充動物娃娃
- 擔任迪士尼夢想師

我在演講上播放的一張投影片……

4 父母樂透

我中了父母樂透的大獎。

我一生下來就握有中大獎的彩券，這是我能夠實現兒時夢想的一大原因。

我媽媽是個嚴厲的老式英語教師，心志無比堅定。她管教學生絕不假辭色，有些學生父母抱怨她對孩子們要求太高，她也只是默默承受。身為她的兒子，我自然了解她的高要求，而這也就成了我的好運來源。

我爸爸在二次世界大戰期間擔任軍醫，參與過突出部戰役。他創立了一個非營利組織，幫助移民兒童學英語。至於他維持生計的工作，則是經營小生意，在巴爾的摩都心賣汽車保險。他的顧客大都是窮人，不是信用紀錄不良，就是資產有限，但他總是會設法讓他們取得保險，得以開車上路。由於各式各樣的原因，爸爸向來是我的偶像。

我在馬里蘭州哥倫比亞長大，生長在舒適的中產階級環境裡。錢在我們家裡從來

不是問題，主要是因爲我爸媽從不覺得有需要花太多錢。他們的節儉幾乎到了過分的地步。我們很少出外用餐，一年只看一兩部電影。「看電視就好，」我爸媽常說：「電視不用錢。要不然上圖書館更好。去借書來看吧。」

在我兩歲而姐姐四歲的時候，我媽媽帶我們到馬戲團去看過一次表演。我九歲的時候又吵著要去馬戲團。「你不用去，」我媽說：「你早就去過馬戲團了。」

從今天的眼光來看，我爸媽管教小孩的方式似乎太過嚴酷。不過，我的童年實際上卻非常美妙。我確實認爲自己一生下來就占有優勢，因爲我媽媽和爸爸在許多事情上都處理得非常恰當。

我們買的東西不多，但思考過各種事物。這是因爲我爸爸具有一股深富感染力的求知欲，對時事、歷史，以及我們的人生都極爲好奇。實際上，在我成長過程中，我一直以爲世界上只有兩種家庭：

一、吃一頓飯也離不開字典的家庭。

二、沒有這種需求的家庭。

我們屬於第一類。每天晚上，我們總是在翻查字典，而我們的字典就放在距離餐桌才六步距離的書架上。「你如果有問題，」我爸媽總是這麼說：「就去把答案找出來。」

我們家的人從來不會呆坐著空想。我們懂得更好的做法：打開百科全書，翻開字典，敞開心智。

我爸爸也是講故事的高手，他總是說，故事必須有益人心，他最喜歡帶有寓意的趣聞軼事。他是講述這種故事的行家，我也充分吸收了他講故事的技巧。就是因爲這樣，所以我姐姐譚美在網路上觀看我那場最後演講的時候，她雖然看到我的嘴巴在動，但耳朵裡聽到的卻不是我的聲音，而是我爸爸的聲音。她知道我引用了不少他最得意的智慧小品。這點我絕對不會否認。實際上，我在台上的時候，不只一次覺得似乎是我爸爸透過我的嘴巴在說話。

我幾乎每天都會向別人引述我爸爸說過的話。這麼做的部分原因是，你如果對別人提出自己的智慧箴言，別人通常不屑一顧；可是你如果轉述第三者的智慧言語，感覺上就不會那麼自大，別人也比較聽得進去。當然，如果你身邊有個像我爸爸這樣的人，那麼你只要一有機會，就一定會忍不住要引用他說過的話。

我爸爸給過我不少人生忠告。「如果沒有必要，絕對不要下決定。」他常常會說類似這樣的話。他也提醒我，不論在工作上還是感情關係裡，就算自己居於主導地位，也絕對不能爲所欲爲。「就算你坐在駕駛座上，」他說：「也不表示你一定要輾過別人。」

最近，我發現自己會把他沒說過的話也都歸功給他。不論我想說的是什麼，他也大有可能說過同樣的話。在我心目中，他簡直無所不知。

另一方面，我媽媽也是見多識廣。在我一生中，她一直認爲自己有責任節制我的傲氣。現在，我對這點深懷感激。即便到了今天，如果有人問她我小時候是什麼模樣，她還是會說我「相當機靈，但不是特別早熟」。在當前這個時代，父母總是把自己的孩子捧成天才，但我媽媽卻認爲「機靈」就算得上是稱讚了。

我在攻讀博士的時候，曾經考過一項叫做「理論資格考」的考試。現在我可以肯定地說，那場考試絕對是我人生中僅次於化學治療的痛苦經歷。我曾向我媽抱怨那場考試有多麼難考，結果她靠到我身旁，拍了拍我的手臂，然後說：「親愛的，我們明白你的感覺。別忘了，你爸爸在你這個年紀的時候，可是在和德軍打仗呢。」

我拿到博士學位之後，我媽媽特別喜歡向別人這麼介紹我：「這是我兒子。他是

doctor（譯註：博士與醫生在英語中皆稱doctor），可是不是能夠幫助別人的那一種。」

我爸媽深知幫助別人必須付出什麼樣的努力。他們總是在遭到別人忽略的地方尋找有意義的方案，然後全力投入其中。他們曾在泰國鄉間共同認捐一棟可容納五十名學生的宿舍，藉此協助少女待在學校讀書，避免淪入賣淫的火坑。

我媽媽總是充滿善心；我爸爸則是樂於捐獻一切，就算因此只能睡在布袋裡也甘之如飴。不過，我們其他人還是寧可住在市郊的住宅區裡。就這方面而言，我認爲我爸爸是我這輩子遇過最有「基督徒精神」的人。他也是社會平等的熱切倡導者。他和我媽媽不一樣，並不輕易認同組織化的宗教（我們是長老教會信徒）。他比較注重宏大的理想，認爲追求平等是最偉大的目標。他對社會有很高的期望，雖然經常幻滅，卻仍然保有高度的樂觀心態。

我爸爸在八十三歲的時候診斷出白血病。他知道自己來日無多，於是預先做好種種安排，同意捐贈自己的遺體供醫療科學之用，也爲泰國的少女救助計畫捐贈了至少足夠營運六年的資金。

有許多人看過我那場最後演講之後，都特別喜歡我在投影幕上播放出來的一張照片：我在照片裡穿著睡衣，用手肘支撐著身體。由這幅照片，即可清楚看出我是個愛做

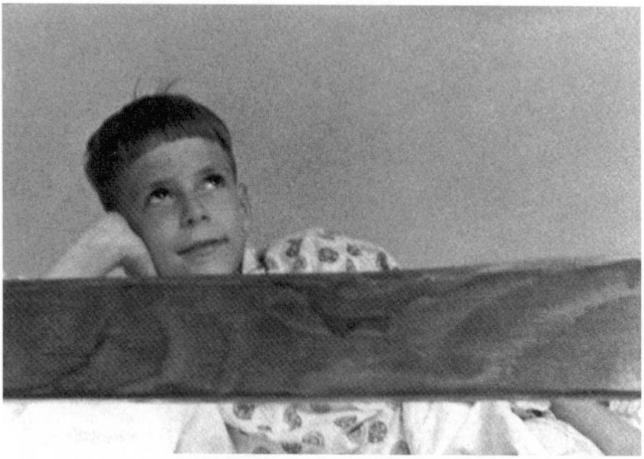

夢的小孩。

我身前那條橫木，是高架床外側的護欄。我爸爸是個相當不錯的木工，那張床是他做的。照片中那個孩子臉上的微笑、眼裡的神情，還有那條橫木，在在都提醒我這輩子中了父母樂透的大獎。

我的子女雖然會有個關愛他們的母親，而且我也知道她會好好帶領他們走過人生的路途，可是他們卻不會有父親。我已經接受了這項事實，但還是不免感到難過。

我一再告訴自己，我爸爸一定會認同我度過人生中最後這幾個月的方法。他一定會建議我幫潔伊把一切事情安排好，盡量多花時間陪伴孩子們——而我現在正是

這麼做。我知道他一定會認爲我們搬到維吉尼亞是明智的選擇。

我認爲我爸爸還會提醒我另外一件事情：對孩子而言，最重要的就是讓他們知道父母深愛他們，而且父母不一定要活著才能做到這一點。

5 平房裡的電梯

我的想像力總是天馬行空。在高中期間，我突然感到一股衝動，覺得自己必須把腦子裡面翻騰的那一大堆想法，揮灑在我臥房裡的牆上。

我向爸媽請求允許。

「我想在房間的牆壁上畫畫。」我說。

「畫什麼東西？」他們問。

「畫我覺得重要的東西，」我說：「我覺得很酷的東西。到時候你們看了就知道。」

對我爸爸來說，這樣的解釋就夠了。這就是他了不起的地方。他鼓勵創意的方法，就是對著你微微一笑。他最喜歡看熱情的火花綻放成燦爛的煙火。而且，他了解我，也明白我必須以不符常規的方式表達自我的需求。因此，他認爲我在牆壁上塗鴉的行動是

個很棒的主意。

我媽媽不是特別贊同這種逾越常規的行爲，但她一看到我那副興奮的模樣，也就不再堅持。她也知道這類事情最後總是我爸的意見勝出，所以不如事先平和退讓。

在兩天的時間裡，我在姐姐譚美還有朋友傑克·薛利夫（Jack Sheriff）的幫忙之下，在臥房裡的牆壁畫上了圖案。我爸爸坐在客廳裡，看著報紙，耐心等待著我的揭幕儀式。我媽媽在走廊上徘徊，緊張不已，一再躡腳走到房門口，想要偷看我們在做什麼，但我們緊閉了房門。就像拍電影的人說的，我們必須「清場」。

結果我們畫了什麼呢？

我想在牆上寫一道二次方程式。在二次方程式裡，未知數的最高次方是二次方。向來是書呆子的我，認爲這點相當值得慶賀，於是就在門的旁邊寫上：

$$\frac{-b \pm \sqrt{b^2-4ac}}{2a}$$

傑克和我把門畫成銀色的電梯門，並且在門的左側畫上「上樓」與「下樓」的按鈕，電梯上方則畫出一排格子，分別寫上一到六的數字，其中「三」這個數字還亮了起來。我們家是平房，只有一層樓，所以我畫那六層樓是異想天開。但現在回顧起來，我那時爲什麼沒有畫八十層或九十層樓呢？我如果眞是個大夢想家，我的電梯爲什麼只停在三樓？我不知道。也許這幅畫象徵了我在夢想與務實之間所求取的平衡。

由於我的美術天分有限，所以我覺得自己最好只用簡單的幾何形狀畫出東西的輪廓。於是，我畫了一具簡單的火箭，兩旁還有尾翼。我畫了一面白雪公主的魔

鏡，下面寫著：「還記得我以前對妳說過，妳是最美麗的女人嗎？我是騙妳的！」

在天花板上，傑克和我寫下這句話：「我被困在閣樓裡！」我們把字倒過來寫，所以看起來就像是我們把某人囚禁在上面，而這是他刻出來的求救訊號。

因爲我喜歡下棋，所以譚美畫了棋子（我們三人之中只有她還有點美術天分）。在她忙著畫棋子的同時，我則在高架床後方畫了一艘潛在水底的潛水艇。我還畫了一根潛望鏡從床單上方伸出來，找尋著敵艦的蹤跡。

我一向很喜歡潘朵拉盒子的故事，於是譚美和我畫出了我們自己的版本。在希臘神話故事裡，潘朵拉獲得一只盒子，裡面裝著全世界的邪惡。結果她沒有遵守不得打開盒子的命令。盒蓋開啓之後，邪惡隨即散播到全世界。我向來深受這則故事的樂觀結局所吸引：故事最後提到，盒子底部還放著「希望」。因此，在我的潘朵拉盒子底部，我也寫上了「Hope」（希望）。傑克一看到就忍不住手癢，在上面加上了「Bob」的字樣（譯註：Bob Hope即美國著名諧星鮑勃·霍伯）。後來，每當朋友進到我的房間，總是要愣上一會兒才了解那個「Bob」寫在那裡是什麼意思，然後就不免翻個白眼暗罵無聊。

由於那時是一九七〇年代末期，所以我也不可免俗地在門上寫著：「迪斯可，

爛！」我媽認爲這個字實在太過粗鄙。有一天，趁我不注意的時候，她悄悄塗掉了「爛」字。她對我的大作就只干涉過這麼一次。

到過我房間的朋友總是讚嘆不已。「眞不敢相信你父母居然肯讓你這麼做。」他們說。

我媽當時雖然不太喜歡我在牆壁上塗鴉，卻從來沒有重新粉刷過我的房間。即便在我搬出家數十年之後，那個房間還是維持著原狀。實際上，後來只要有人來我們家，她都一定會帶他們參觀我的房間。她已經開始體認到：大家都認爲這麼做很炫。而且，他們也認爲她很炫，竟然同意讓我這麼做。

各位讀者，如果你有孩子，而你的孩子想要在自己房間的牆壁上畫畫，請你幫我一個忙，就讓他們畫吧。不會有什麼問題的，不用擔心房子的價格會因此受到影響。

我不知道自己還有多少機會能夠回到兒時的家，但我每次回到那裡，就覺得那裡是上天賜給我的禮物。我還是會睡在我爸爸做的那張高架床上，還是會看著那些異想天開的牆面，一面想著我爸媽當初居然願意讓我這麼做，然後在深感幸運的愉悅心情下沉沉入睡。

6 體驗零重力狀態

擁有明確的夢想，是非常重要的事情。

我讀小學的時候，許多小孩都想當太空人。我則是從小就意識到美國太空總署一定不會要我。我聽說過太空人不能戴眼鏡，這點對我來說沒有問題，但我其實不想當太空人，只想要那種飄浮在空中的體驗。

我後來發現，美國太空總署原來有一架飛機，可供太空人習慣零重力狀態。大家都叫它「嘔吐彗星」，太空總署則稱之爲「無重奇機」，藉由這種吸引人的名稱掩飾顯而易見的暈機副作用。

不論這架飛機的名稱叫做什麼，總之是一架非常了不起的飛行工具。這架飛機會從事拋物線飛行，每次達到拋物線的頂點之後，就能夠讓人體驗二十五秒鐘的無重現象。隨著飛機向下俯衝，感覺上就像是坐在失控的雲霄飛車上，但你會懸浮在半空中，可以

我只想要飄浮在空中的體驗……

恣意飛翔。

我後來聽說太空總署有一項活動，可以讓大學生提出申請，到那架飛機上進行實驗。於是，我的夢想終於有了實現的可能性。二〇〇一年，我們在卡內基美隆大學的學生團隊提出了一項應用虛擬實境的實驗計畫。

對於在地球上生活了一輩子的人來說，處於無重力狀態是一種難以想像的感受。在零重力的情形下，控制平衡感的內耳和眼睛接收到的影像訊息無法同步，因此通常會導致頭暈想吐。在地面上進行虛擬實境的模擬練習會不會有助於改

善這種現象？這就是我們提出的研究計畫，結果也得到太空總署的青睞。我們獲邀到休士頓的詹森太空中心搭乘那架飛機。

我可能比我的學生還要興奮。飄浮耶！不過，申請作業進行到一半，我卻得知一項壞消息。太空總署明確表示，指導老師不得與學生共同搭機飛行。

聽到這項消息，我的心都碎了，但我沒有就此放棄，我一定要想辦法跨越這個障礙。我決定仔細閱讀活動規定，從中找出漏洞，結果也確實如我所願：太空總署總是樂於宣揚自己美好的一面，因此願意開放學生故鄉的一名記者參與搭機行程。

我打電話給太空總署的一名官員，向他要了傳眞機號碼。「你要傳眞什麼東西？」他問。我說明了我的用意：我要取消指導老師的身分，改以記者頭銜提出申請。

「我要以媒體工作人員的身分和學生一同上飛機。」我說。

他答道：「這樣未免太明顯了吧？」

「當然。」我說，但我也向他保證我會把這項實驗的訊息發布到新聞網站，並且把我們應用虛擬實境的實驗影片寄給更多主流媒體的記者。我知道我做得到這一點，這對我們雙方將是雙贏的結果。他於是給了我傳眞機的號碼。

順帶一提，我從這項經驗中學到一項教訓：別忘了準備對別人有利的方案，這樣別

人才會更願意和你打交道。

我經歷零重力狀態的體驗實在是難以言喻（沒有，我沒有吐，謝謝你的關心）。但摔跌碰撞倒是少不了，因爲在那奇妙的二十五秒結束之後，機艙內再次出現重力，這時候你就會像體重增加了一倍一樣，重重摔跌下來。所以工作人員一再提醒我們：「腳往下！」你絕對不會想要讓自己脖子著地。

不過，我總算是搭上了那架飛機，當時距離我把飄浮納入人生目標當中已經將近四十年之久。由此可以證明，只要能夠找到機會，也許就想得出辦法實現夢想。

7 我從沒打進國家美式足球聯盟

我深愛美式足球。我九歲就開始打球，美式足球也帶領我走過人生。因爲美式足球，我才會成爲今天的我。雖然我沒有打進國家美式足球聯盟，但我覺得我追求這項夢想而沒有成功的經驗，卻讓我學到了許多，甚至比其他順利實現的夢想收穫更大。

我和美式足球結下不解之緣，一開始是我爸爸拖著百般不情願的我去加入球隊聯盟。我根本不想去，因爲我天生懦弱，身材也比不上其他同年齡的小孩。不過，我一見到我的教練吉姆·葛拉翰（Jim Graham），恐懼隨即轉成了敬畏。他粗壯魁梧，身高一百九，站著看起來就像一堵牆。他曾在賓州州立大學球隊擔任後衛，是相當老式的球員，眞的非常老式，譬如他認爲前進傳球屬於欺敵戰術。

在練習的第一天，我們全都怕得要死，而且他還沒有帶球來。後來，終於有一個孩子表達了大家心裡的疑問。「抱歉，教練。我們沒有球。」

葛拉翰教練答道：「我們不需要球。」

接著是一片沉默。我們所有人都咀嚼著他這句話的意思……

「打美式足球的時候，場上共有幾個人？」他問我們。

一隊十一人，我們答道。所以總共有二十二人。

「在比賽期間，有多少人會同時摸到球？」

不論怎麼傳抄，球總是只會在一個人的手上。

「沒錯！」他說：「所以我們要來練習另外那二十一個人必須做的事。」

基本功，這是葛拉翰教練送給我們的一份大禮。基本功、基本功、基本功，身爲大學教授，我發現許多孩子都忽略了這一點，而因此害了自己。你必須先練好基本功，否則其他各種花俏的招式都不會有用。

葛拉翰教練總是對我很嚴厲。我特別記得一場練習。「你全部都做錯了，鮑許。回去！重來一遍！」我努力要做到他的要求，可是還是不夠。「你欠我，鮑許！練習結束後去做伏地挺身。」

等到他終於放我走的時候，一個助理教練過來安慰我。「葛拉翰教練對你很嚴厲，對不對？」他說。

我全身乏力，只能輕輕說出一聲「是啊」。

「這樣其實很好，」助理教練對我說：「如果你做得不好，可是都沒有人糾正你，那就表示他們已經放棄你了。」

我從此不曾忘記這項教訓。如果你發現自己某件事做得不好，可是卻沒有人告訴你，那可就糟了。你也許不喜歡聽到別人的批評，可是你的批評者其實是在說他們仍然愛你，仍然關心你，希望你能夠變得更好。

現在常常有人說要給孩子自信心，可是自信心不是你可以給他們的東西，而是必須由他們自己建立。葛拉翰教練從來不會和顏悅色。自信？他知道要教導孩子建立自信，實際上只有一種方法：交給他們一件他們做不到的任務，讓他們努力練習，直到做得到爲止，然後不斷重複這項過程。

葛拉翰教練剛遇到我的時候，我只是個膽怯懦弱的小孩，沒有技能、沒有體力，也沒有受過訓練。但他讓我體會到，只要我夠努力，那麼我明天就能夠做到今天做不到的事。即便到了我剛滿四十七歲的今天，我還是能夠擺出標準的三點著地姿勢，絲毫不遜於職業聯盟的前鋒球員。

在當前這個時代，我知道像葛拉翰教練這樣的人在少年運動聯盟一定待不下去。他

的要求太嚴格，父母一定會抗議。

我還記得一場比賽，我們這一隊打得很糟糕，到了中場休息時間，我們爲了衝去喝水，還差點把水桶撞倒。葛拉翰教練勃然大怒：「老天爺！你們整場比賽就只有這時候才知道要動！」我們當時十一歲，所有人都被他嚇得呆站在原地，只怕他會把我們一個一個抓起來折成兩半。「喝水？」他怒吼著：「你們要喝水是不是？」他提起水桶，把水全部倒在地上。

我們看著他走開，然後聽到他低聲對一個助理教練說：「你可以拿水給先發的防守球員，他們打得還不錯。」

容我澄清一點，葛拉翰教練絕對不會傷害任何一個孩子。他在練習過程中之所以對我們要求如此嚴厲，原因是他知道唯有這樣才能降低受傷的機率。不過，那天其實天氣很冷，而且我們在上半場比賽期間也都有水可以喝。所以我們在中場休息時間衝向水桶，實際上只是因爲我們是一群被寵壞的孩子，而不是眞的需要補充水分。

儘管如此，這件事情如果發生在今天這個時代，在場邊觀賽的父母一定會立即掏出手機打給聯盟執行長，甚至是他們的律師。

想到現在有這麼多孩子在備受呵護的環境下長大，就讓我覺得很悲哀。我回想到我

那一天在葛拉翰教練大發雷霆之後的感受。沒錯，我那時候很口渴；但更重要的是，我深感羞恥。我們全都辜負了葛拉翰教練的期望，於是他以一種我們永遠不會忘記的方式告訴了我們這一點。他說的沒錯，我們喝水比打球還要積極。被他痛罵一頓，對我們而言很有意義。到了下半場，我們便回到球場上，使盡全力打球。

我長大之後就再也沒有見過葛拉翰教練，但他的身影卻一直盤旋在我腦海裡。每當我想要放棄，他的身影就逼著我付出更多努力，逼著我拿出更好的表現。他的教導讓我終身受用不盡。

＊＊＊

我們讓孩子參與組織化的運動，不論是美式足球、英式足球、游泳，還是其他各種運動，通常不是因爲我們眞的渴望他們精通那種運動。

我們眞正希望他們學到的，其實是其他更重要的東西，包括團隊合作、堅忍不拔、運動家精神、努力的價値，以及克服逆境的能力。我們有些人喜歡把這種間接學習稱爲「假動作」。

假動作有兩種。第一種是運動場上的假動作。在美式足球場上，球員會把頭偏向一

邊，讓你以為他要往那邊跑，但實際上卻衝往相反方向。這種做法就像魔術師所使用的聲東擊西法。葛拉翰教練總是叫我們注意觀察球員的腰部。「他的肚臍往哪邊去，他的身體就會往哪邊去。」他常這麼說。

第二種假動作對人生才眞正重要——這種假動作會讓人在不知不覺間學到東西，直到事後才發現自己受益良多。你如果是個假動作專家，那麼你暗中的目的就是要讓別人學到你希望他們學到的東西。

這種假動作學習對於人生具有絕對的重要性。葛拉翰教練正是精於此道的大師。

8 成爲百科全書作者

我活在電腦時代，而且我愛死了這個時代！我從很久以前就熱切擁抱畫素、多螢幕工作站，以及資訊高速公路。我確實能夠想像沒有紙張的世界。

然而，我卻是成長在一個非常不一樣的時代裡。

我出生於一九六〇年，當時所有的重要知識都記錄在紙張上。在一九六〇至七〇年代間，我們家非常崇仰《世界百科全書》，細細品味其中收錄的照片、地圖、各國國旗，還有方便查閱的資訊邊欄，裡面列示了各國的人口數、國家座右銘，以及平均高度。

我沒有把《世界百科全書》的各冊從頭到尾一字字讀完，但我曾經試過。我對於這套書能夠蒐集這麼多的資訊深感著迷。關於土豚的那篇文章是誰寫的？那不知道是什麼感覺，能夠接到《世界百科全書》編輯的電話，聽到他們對你說：「您對土豚的了解比

任何人都還透徹，能不能請您幫我們寫這個條目的文章？」還有「Z」開頭的那一冊。是誰對「祖魯人」（Zulu）的了解那麼深入，而能夠撰文解說這個條目？這位作者本身是祖魯人嗎？

我爸媽非常節儉。他們和許多美國人不一樣，從來不會爲了向別人炫耀而買東西，也從來不買奢侈品。不過，他們卻不惜花一大筆錢買下《世界百科全書》，送給我和我姐姐一份知識大禮，甚至還訂閱了每年一本的增補冊。我們每年都會收到一本新的增補冊，收錄最新突破，以及重要時事，書上標示著一九七〇、一九七一、一九七二、一九七三。我總是迫不及待要翻閱新的內容。每年的增補冊都附有貼紙，指出原書裡的相關條目。我的工作就是把這些貼紙貼在正確的頁面上，而且我非常鄭重看待這項任務。將來只要有人翻閱這些增補冊，我貼的貼紙就可以幫助他們吸收歷史或科學知識。

由於我深愛這套百科全書，因此我有一項兒時夢想，就是成爲《世界百科全書》的撰稿者。不過，你不能直接打電話到《世界百科全書》的芝加哥總部向他們毛遂自薦。必須要他們主動找你才行。

信不信由你，我在幾年前終於接到了電話。

原來，我長期以來的職業生涯已經使我成爲《世界百科全書》喜歡洽詢的那類專家。他們找我，不是因爲我是全球最重要的虛擬實境專家。那個人太過忙碌，不可能有空理他們。我的地位剛好不高不低，擁有足以撰寫百科全書條目的聲望，但又不至於因爲太過有名而不屑理會他們的邀請。

「您是否願意幫我們撰寫虛擬實境這個新條目的文章？」他們問。

我不能對他們說我等這通電話已經等了一輩子。我只能說：「好啊，當然好！」我寫了這項條目，還附上了我的學生凱特琳．克里赫（Caitlin Kelleher）戴著虛擬實境頭罩裝置的照片。

對方編輯從來沒有質疑我撰寫的內容，但我猜這就是《世界百科全書》的做法：挑選一位專家，然後信任這位專家不會濫用這項榮譽。

我沒有買最新出版的《世界百科全書》。實際上，被選爲那套百科全書的其中一名作者之後，我現在反倒認爲維基百科也算得上是相當充分的資訊來源，因爲我已經知道實際上的百科全書在品質控管方面也不過爾爾。儘管如此，有時候我帶孩子們上圖書館，還是忍不住翻開「V」開頭的條目（「虛擬實境」〔Virtual Reality〕這條就是我寫的）給他們看一看。他們的爸爸做到了。

9 見到了柯克艦長

如同一九六〇年代在美國出生的無數書呆子，我小時候也夢想過自己是指揮企業號的柯克艦長。我不是想像自己當上鮑許艦長。在我想像的世界裡，我就是柯克艦長。

對於志向遠大又愛好科學的小男孩來說，《星艦迷航記》裡的柯克艦長絕對是最崇高的模範。實際上，我眞的認爲自己因爲觀看柯克艦長領導企業號，而更懂得該如何教導學生，也更知道該怎麼與同事相處，甚至也可能因此成爲更好的丈夫。

想想看。你如果看過這部影集，就會知道柯克不是企業號上最聰明的人。艦上的大副史波克先生，是思考永遠合乎邏輯的明智成員；麥考伊醫生具備人類在二二六〇年代所擁有的一切醫學知識；輪機長史考特則具備豐富的技術知識，知道該怎麼維持企業號的正常運作，即便在遭到外星人攻擊的時候也不例外。

那麼，柯克有什麼技能呢？他憑什麼在企業號上擔任指揮官？

答案：有一種技能叫做「領導」。

看他做事讓我學到了很多。他是精力充沛的管理人的基本典型。他懂得如何指派適當人選，具有啓發他人的熱情，而且穿去上班的衣服都很好看。他從來不曾聲稱自己比屬下擁有更高超的技能，他明白自己的屬下都精通各自負責的領域，但他則奠定了全艦共同的願景和氛圍。他掌握全艦的士氣。除此之外，柯克還是情場高手，在每個銀河系都有辦法迷倒女人。

而且，他還有最酷最炫的玩具呢！小時候，我一直對他的通話器深感著迷。他也許身在某顆星球上，但只要手裡拿著通話器，就可以和艦上的人員通話。現在，我身上也隨時帶著一具通話器。還有人記得當初是柯克最早讓我們見識到手機這種東西嗎？

幾年前，我在我的通話器上接到一通電話，對方是一名住在匹茲堡的作家，名叫沃爾特（Chip Walter）。他當時正與威廉．謝納（William Shatner，他在電視螢幕上的名字叫柯克）合寫一本書，內容探討《星艦迷航記》率先想像出來的科學突破，如何成為當今各項科技發展的先驅。柯克艦長想要走訪我在卡內基美隆大學的虛擬實境實驗室。

雖然我童年的夢想是成為柯克，但我看到謝納的時候，仍然覺得自己實現了一個夢想。能夠見到自己的兒時偶像是美妙無比的經驗，但如果是他主動來找你，想要見識你

在實驗室裡研究的各種先進技術，這種經驗更是美妙得無法想像。

我的學生和我不眠不休地建構了一個如同企業號艦橋的虛擬世界。謝納抵達之後，我們把笨重的「頭配式顯示器」戴在他頭上。這具顯示器裡面有一個螢幕，隨著他的頭左右轉動，他就能夠沉浸於企業號艦橋的三百六十度影像當中。「哇，你們連高速電梯的門也沒有漏掉。」他說。我們還為他準備了一項驚喜：紅色警報器。警報一響起，他隨即脫口而出：「我們遭受攻擊了！」

謝納待了三個小時，問了許許多多的問題。一個同事後來對我說：「他一直問不停，好像再怎麼樣就是搞不懂。」

可是我對他的印象非常好。柯克——我是說謝納，堪稱是具有自知之明的最佳典範。他知道自己對哪些東西不懂，完全不怕承認自己的無知，而且在沒有搞懂之前也絕不放棄。我認為他非常勇敢，只希望每個研究生都能有他這樣的態度。

在我接受癌症治療的期間，醫生告訴我胰臟癌患者只有百分之四能夠活到五年，那時候我腦子裡突然閃過了星艦迷航記電影《星戰大怒吼》片中的一句對白。在電影裡，星際艦隊的軍校生都必須經歷一場模擬訓練，不論他們在這個訓練場景裡怎麼做，全體隊員都不免陣亡。電影裡面指出，在柯克還是學生的時候，曾經自行更改這項模擬場景

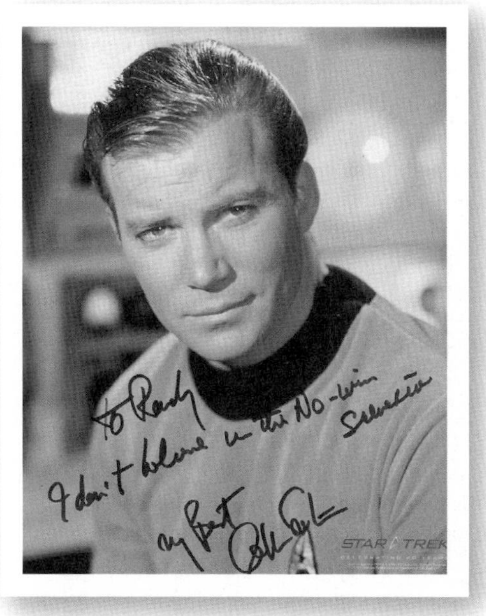

的程式，因爲「他不相信世事會完全沒有可勝之機」。

多年來，有些深富教養的學術圈同事總是相當鄙夷我對《星艦迷航記》的熱愛。不過，這部影集一直對我裨益良多。

謝納得知我罹癌的消息之後，寄了一張他飾演柯克艦長的劇照給我。他在照片上寫著：「我不相信世事會完全沒有可勝之機」。

10 贏得大獎

我最早的一項兒時夢想，就是在遊樂場或園遊會上成爲最了不起的人物。我向來都知道怎麼樣才能達到這種了不起的地位。

最了不起的人物很容易認得出來：就是手上抱著最大的塡充動物娃娃的那個人。小時候，我常看到有人走在不遠處，頭和身體都擋在巨大的動物娃娃後面。不管他是自戀的宅男還是瘦弱的書呆子都沒關係，只要他手上抱著最大的動物娃娃，他就是園遊會上最了不起的人物。

我爸爸也有同樣的觀念。他坐在摩天輪上，如果腿上沒有抱著一隻剛贏來的熊娃娃或猩猩娃娃，就會覺得自己像是沒穿衣服一樣。由於我們家的人非常好勝，因此這類小遊戲也不免變成競爭激烈的大戰。誰能在動物娃娃王國裡捕捉到最大的猛獸？

你有沒有抱著巨大的動物娃娃走在園遊會裡的經驗？你有沒有注意到別人如何以

豔羨的眼神看著你？你有沒有利用動物娃娃追過女孩子？我有……而且還把她娶回家了呢！

從小，巨大的動物娃娃就在我的人生裡扮演了重要的角色。在我三歲、我姐姐五歲的時候，我們有一次在一家商店的玩具部門裡，我爸爸說只要我們看上同一件玩具，而且願意一起分享著玩，他就會把那件玩具買給我們。我們在店裡逛了又逛，最後終於抬頭看到最高的架子上擺著一隻很大的兔子娃娃。

「我們要這個！」我姐姐說。

那隻娃娃大概是整個玩具部門裡最貴的一件，但我爸爸說到做到，隨即掏錢買了下來。他大概也認爲這筆投資划得來，因爲家裡的動物娃娃總是不嫌太多。

隨著我長大成人，不斷帶回家更多更大的動物娃娃，我爸爸不禁懷疑這些娃娃是不是我賄賂別人而得來的。他猜想我可能是等在水槍遊戲的攤位旁邊，看到有人贏得大獎之後，就趁著那個人還不明白這麼一隻動物娃娃會怎麼改變全世界對他的看法之前，而把五十塊錢塞進他手裡交換他的獎品。不過，我從來沒有用錢換過動物娃娃。

我也從來不作弊。

好吧，我承認我有傾身向前，可是玩套圈圈要想得分，就一定要這麼做。我雖然會

你有沒有抱著巨大的動物娃娃走在園遊會裡的經驗？

傾身向前，可是不會作弊。

不過，我倒是常常在家人沒看到的時候贏得獎品，我也知道這樣很容易引起他們的懷疑。但我發現，如果想把動物娃娃贏回家，最好不要有家人在旁邊觀看的壓力。況且，我也不想讓別人知道我花了多長的時間才贏得大獎。不屈不撓是一種美德，可是你不必一定要讓別人看到你花了多少心力。

現在，我願意透露贏得動物娃娃的兩大祕訣：手臂要夠長，而且口袋裡也要有一點零錢。我這一生中剛好有幸具備這兩項條件。

* * *

我在最後演講上談到了我的動物娃娃，也秀出了這些娃娃的照片。我猜想得到那些擅長科技的犬儒人士心裡會有什麼念頭：在這個數位影像氾濫的時代，照片裡的那些熊娃娃說不定是後來加上去的；或者我也可能是用我的三寸不爛之舌說服了別人讓我和他們的獎品合照。

在這個充斥疑忌的時代裡，我要怎麼做才能夠讓聽眾相信那些獎品眞的是我贏來的呢？當然，我可以把那些動物娃娃拿出來給他們看。於是，我找了幾個學生，從講台的

兩側走上來，每人手裡抱著一隻我多年來所贏得的動物娃娃。

我已經不再需要這些獎品了。雖然我知道我太太非常喜歡我在我們交往期間掛在她辦公室裡的那隻大熊，但是生了三個小孩之後，她可不想要成堆的動物娃娃塞滿我們的新家（而且有些娃娃內部的泡綿也慢慢掉了出來，常常被克蘿怡拿來吃）。

我知道如果留著那些動物娃娃，有一天潔伊一定會打電話給慈善機構，對他們說：「麻煩你們把這些東西全部拿走吧！」但更糟糕的是，她可能會覺得自己不能這麼做！所以我才會決定：何不把這些娃娃送給朋友呢？

於是，所有娃娃都放上講台之後，我就跟著宣布：「如果有人在演講結束後想帶點紀念品回家，請直接到台上自己挑一隻娃娃。先到先拿。」

那些動物娃娃很快就都找到了主人。幾天後，我得知拿到其中一隻娃娃的人是卡內基美隆大學的學生，而且和我一樣罹患了癌症。她在演講結束後，到講台上挑了一隻大象。我很喜歡她這項選擇所帶來的象徵意義。她把那頭眾人避而不談的大象給抱回家了。（譯註：英文有一句諺語，叫做「房間裡的大象」〔The elephant in the room〕，藉著房間裡有一頭大象，但眾人卻視而不見的意象，引申表示所有人心照不宣、避而不談的問題。）

11 世界上最快樂的地方

一九六九年，我家人帶著八歲的我橫越整個美國去迪士尼樂園。那是一場不折不扣的遠征之旅。我們抵達目的地之後，我對那座樂園更是嘆爲觀止。那是我待過最美妙的環境。

我和其他孩子一起排著隊的同時，心裡唯一的念頭就是：「我眞是等不及要做出像這樣的東西！」

二十年後，我在卡內基美隆大學拿到資訊科學博士學位之後，以爲只要有這個學位，應徵任何工作都絕對無往不利，於是馬上寄了一份應徵函到華德迪士尼夢想工程公司。結果，他們回信拒絕了我的要求，但是措辭非常婉轉。他們說他們看過我的應徵函，可是他們沒有「合乎您資歷的職位」。

沒有適合的職位？這可是以雇用一大群人清掃街道而著名的公司哪！迪士尼沒有適

合我的工作？連掃地都不行？

我遇到了挫折，但我從來不曾忘記一道座右銘：阻礙我們前進的磚牆，不會無緣無故擋在我們前面。這種磚牆的存在目的不是爲了把我們排除在外，而是要讓我們有機會證明自己多麼想要一件東西。

畫面切換到一九九五年。我在維吉尼亞大學當上了教授，也協助建構了一套系統，名稱叫做「一天五元的虛擬實境」。在那個時候，虛擬實境專家總是堅稱他們需要好幾十萬美元的經費，才有辦法做出成果。我的同事和我模仿惠普公司當初從倉庫起家的克難做法，用低廉的預算拼湊出一套實際可用的虛擬實境系統。資訊科學界的人士認爲我們的成果相當了不起。

過了不久，我聽說迪士尼夢想工程公司正在進行一項虛擬實境計畫。這項計畫是最高機密，將設置在阿拉丁主題的遊樂設施當中，可以讓遊客搭乘魔毯飛翔。我打電話給迪士尼，表明自己是個虛擬實境的研究者，想要了解這項計畫。我非常堅持，可說到了荒謬的地步，於是對方只好一再幫我轉接，最後終於轉接到了一個名叫強恩·史諾第（Jon Snoddy）的人。他是個才華洋溢的夢想師，也剛好是那個團隊的領導者。我覺得自己就像是打電話到白宮，結果被轉接給了總統一樣。

我們聊了一會兒，然後我對強恩說我會到加州去，到時候能不能和他見個面？（實際上，我到加州去就是爲了和他見面。只要能夠和他見面，叫我到海王星我也願意！）他說可以，我如果眞的到了加州，我們可以一起吃頓午餐。

爲了見他，我事先做了八十個小時的功課。我找遍了我認識的虛擬實境高手，請他們談談自己對迪士尼那項計畫的看法和疑問。當我終於和強恩見面的時候，他對我準備的充分程度訝異不已（只要把聰明的人講過的話自己拿來講一遍，就能夠讓自己看起來也很聰明）。然後，等到我們快要吃完午餐的時候，我終於向他提出了請求。

「我再過不久就可以特休了。」

「什麼意思？」他問。我後來面臨學術界和娛樂界這兩種不同文化的衝擊，可以說在他提出這個問題的時候就出現了預兆。

我向他說明了教授特休的辦法之後，他覺得我利用特休期間和他的團隊合作，應該是個相當不錯的主意。交換條件是：我可以到他的團隊待六個月，從事一項計畫，然後發表一份論文。我興奮極了，夢想工程公司竟然願意邀請我這樣的學術人參與他們的祕密計畫，這幾乎可說是前所未聞的事情。

唯一的問題是，要取得這項異乎尋常的特休，我必須先尋求上司的許可。

我姐姐和我同乘愛麗絲夢遊仙境遊樂設施。
我當時心裡唯一的念頭就是：
「我眞是等不及要做出像這樣的東西！」

每一則迪士尼的童話故事都一定有反派，我這則故事裡的反派恰好是維吉尼亞大學的某一位主任。「沃瑪主任」（潔伊把《動物屋》片中反派角色的名字冠在那位主任頭上）擔心迪士尼會把我腦子裡原本應該屬於學校所有的「智慧財產」全部洗劫一空。他反對我這麼做。我問他：「你到底認爲這個主意好不好？」他答道：「我不知道。」由他身上可以得證，有時候最難以突破的磚牆，乃是血肉之軀。

由於和他交涉沒有結果，我於是轉而去找建教合作中心的主任。我問他：「你認爲我這麼做是不是個好主意？」他答道：「我還沒有足夠的資訊可以判斷，但

我可以確定的是，我手下的一個傑出教員正在我的辦公室裡，而且看起來非常興奮。說明給我聽聽看吧。」

經理人與管理人員可以從這個故事裡學到一課。兩位主任說的話都一樣，都不知道這樣的特休是不是個好主意，可是看看他們兩人的思維模式有多麼不同！

我後來終於獲准特休，那次特休的經驗就像美夢成真。實際上，我要向讀者告白。真實的我就是這麼一個怪胎：我抵達加州之後，隨即跳上我的敞篷車，開往夢想工程公司的總部。那是個燠熱的夏日夜晚，我車上的音響播放著《獅子王》的電影原聲帶。我開車經過公司大樓的時候，甚至還流下了眼淚。這時候的我，就像當初迪士尼樂園裡那個驚奇興奮的八歲小孩一樣。我終於到了這裡。我終於當上了夢想師。

三

人生的冒險……以及我從中學到的教訓

12 遊樂場開放到晚上八點

我漫長的醫療之旅始於二〇〇六年夏天，當時第一次感受到上腹部有一種毫無理由的輕微疼痛。後來，又出現黃疸症狀，於是醫生懷疑我可能罹患了肺炎。檢驗之後，才發現這原來是我們一廂情願的想像。電腦斷層掃描顯示我罹患了胰臟癌，而且我只要花十秒鐘到谷歌網站上搜尋一下，就可以知道這個消息有多麼糟糕。胰臟癌是所有癌症當中死亡率最高的一種，經診斷發現胰臟癌的病患，有半數活不過六個月，百分之九十六活不過五年。

我面對自己的治療，就和我面對其他許多事情一樣，都秉持著科學家的精神。因此，我問了許多尋求資料的問題，也和我的醫生一同提出各種假設。我把自己和他們的談話錄了下來，以便回家之後能夠更仔細聆聽他們的解說。我找了不少冷僻的期刊文章，在看診的時候帶去和醫生討論。醫生沒有因此對我不耐煩。實際上，大多數的醫生

都認爲我是個有趣的病患，因爲我對一切事情都那麼投入（他們似乎也不介意我在赴診的時候帶著幫手同去——這位幫手是我的同事好友潔西卡・赫金斯〔Jessica Hodgins〕，她一方面在身旁支持我，另一方面也運用她探究醫療資訊的傑出研究技巧幫我的忙）。

我對醫生說，我願意忍受各式各樣的外科治療，也願意吞下他們開的各種藥物，因爲我只有一項目標：我要盡可能活久一點，留在人世上陪伴潔伊和孩子們。我第一次接受匹茲堡外科醫師傑赫（Herb Zeh）的門診，就對他說：「我先講清楚，我的目標就是再活十年。」

結果，我竟然是少數得以獲益於「惠普爾手術」的病患。這種複雜的手術出現於一九三〇年代，後來就以發明這項手術的醫生命名。在一九七〇年代期間，這種手術的致命率高達百分之二十五。到了二〇〇〇年，只要由經驗豐富的專科醫師操刀，致命率可降到百分之五以下。儘管如此，我知道自己面對的仍然是一場非常嚴苛的挑戰，尤其是手術過後還必須接受劇毒的化療與放射線治療。

在這場手術中，傑赫醫師不只切除了腫瘤，還切除了我的膽囊、三分之一的胰臟、三分之一的胃，還有幾呎的小腸。我復原之後，在休士頓的安德森癌症中心待了兩個月，接受高劑量的化療，腹部每天還得接受高劑量的放射線照射。我的體重從八十二公

斤降到六十二公斤，治療結束後幾乎無法行走。一月，我回到匹茲堡的家，電腦斷層掃描顯示我體內沒有癌細胞。我慢慢恢復了體力。

到了八月，我必須回安德森癌症中心接受每季一次的檢查。潔伊和我搭飛機到休士頓看診，把孩子留在家裡讓保姆照顧。我們把這趟旅程當成一段浪漫假期，甚至還在看診的前一天去一座水上樂園玩（我知道，我安排的浪漫假期實在不怎麼樣）。我從高速滑水道滑下來，笑得很開心。

然後，在二〇〇七年八月十五日星期三，潔伊和我抵達安德森癌症中心，和我的腫瘤科醫生羅伯．沃夫（Robert Wolff）一起檢視我最近一次的電腦斷層掃描結果。我們被帶進一間診察室，一名護士問了幾個例行性的問題：「體重有變化嗎？是不是還在服用同樣的藥物？」潔伊特別注意到護士離開的時候，在把門帶上之前，還以相當愉悅的清脆嗓音對我們說：「好了，醫生等一下就會過來。」

診察室裡有一部電腦，我發現護士沒有登出，螢幕上還顯示著我的病歷紀錄。我對電腦當然頗有兩下子，可是這部電腦根本不需要我破解任何東西。全部的資料都擺在我們面前。

「要不要來看看？」我對潔伊說。我對自己這麼做毫無顧忌。畢竟，那是我的病歷

紀錄。

我到處點了點，找到了我的血液檢查報告。螢幕上有三十種我不知所以然的血液數值，可是我知道自己要找的是癌症糖鎖抗原（CA 19-9）這項腫瘤標記。我找到的時候，發現數值竟然高達兩百零八。正常值是三十七以下。我只看了一秒鐘。

「完了，」我對潔伊說：「我要嗚呼哀哉了。」

「什麼意思？」她問。

我把我的糖鎖抗原數值告訴她。她也吸收了許多癌症治療的知識，所以知道兩百零八代表癌細胞轉移：這麼一來等於宣判了死刑。「一點都不好笑，」她說：「不要再開玩笑了。」

我接著找出我的斷層掃描圖，開始數著：「一、二、三、四、五、六……」

我可以聽到潔伊聲音裡的恐慌情緒。「別跟我說你在數腫瘤。」她說。我偏偏忍不住，不斷大聲數出來：「七、八、九、十……」我全都看到了。癌細胞轉移到我的肝臟。

潔伊走到電腦前面，親眼看到了我的狀況，然後撲進我的懷裡。我們抱在一起哭。

這時候，我才注意到診察室裡沒有衛生紙。我剛發現自己快要死了，但我卻遏止不住腦

中的理性思考，在這個時候竟然還想著：「像這樣的一個房間，在這種時候，難道不該準備一包衛生紙嗎？嘩，這可眞是醫院經營上的一大缺失呢。」

門上傳來一陣敲門聲。沃夫醫師走了進來，手上拿著一份檔案夾。他看了看潔伊和我，還有電腦螢幕上的斷層掃描圖，隨即知道發生了什麼事。我決定先發制人。「我們知道了。」我說。

截至那個時候爲止，潔伊仍然震驚不已，一再歇斯底里地哭著。我當然也很難過，但同時也很想看看沃夫醫師怎麼因應眼前這項艱難的任務。他在潔伊身邊坐下來安慰她，平靜地向她說明他們接下來將不再把努力目標放在拯救我的性命上。「我們現在要做的事，」他說：「是盡量延長蘭迪剩下的時間，讓他享有最高品質的生活。原因是，就目前的狀況而言，醫學已經沒有能力讓他安享天年。」

「等一下，等一下，」潔伊說：「你是說已經完了嗎？我們本來還說要努力對抗病魔，現在就大勢已去了嗎？難道不能移植肝臟嗎？」

不行，沃夫醫師說。癌細胞一旦轉移，就不能夠移植器官。他提到緩和性化療——這種治療不具有療癒效果，但可以減輕症狀，也可能讓我多活幾個月——接著又提到該怎麼讓我在人生的最後階段盡量過得舒適，也盡量投入於人生當中。

這一段可怕的談話感覺很不眞實。沒錯，我非常震驚，也爲自己感到哀傷，更爲止不住哭泣的潔伊感到難過。但我體內比較堅強的一部分，卻仍然保持在科學家模式下，一再蒐集資訊，並且向醫生詢問各種選項。同時間，又有另一個部分的我，正全神貫注地欣賞著這一個時刻的戲劇效果。我對沃夫醫師向潔伊告知噩耗的方式非常佩服。我心裡想著：「看他處理得多麼好。這種事情他顯然已經做過很多次，所以非常熟練了。他雖然經過了長久的練習，但每一句話和每個動作還是顯得那麼眞誠，毫不做作。」

我注意到他在回答問題之前會先仰靠在椅背上，並且閉上眼睛，似乎這樣能夠讓自己更專心思考。我看著他的身體姿勢，他坐在潔伊身旁的模樣。我覺得自己幾乎像是個旁觀者，心裡想著：「他沒有用手臂環繞著她的肩膀。我知道他爲什麼不這麼做，因爲這樣會顯得太親暱。可是他身體靠了過去，把手放在她的膝蓋上。好傢伙，他實在是太厲害了。」

我希望每個有意走上腫瘤科這條路的醫學生都能夠看到我眼前的這一幕。我注意到沃夫醫師在用字遣詞上非常細心，盡量挑選正面的言詞。我們問他：「我還有多久會死？」他回答：「你大概還可以有三到六個月的健康生活。」我不禁想起當初在迪士尼工作的經驗。你如果問迪士尼世界的員工：「遊樂場幾點關門？」他們一定會回答：

「遊樂場開放到晚上八點。」

就某方面而言，我反倒覺得鬆了一口氣。過去好幾個月以來，潔伊和我總是緊張地等著看我體內的腫瘤會不會再度出現。現在，它們總算現身了，而且是一整支大軍。等待的時間結束了，現在我們可以開始處理後續的事情了。

那次看診結束之後，沃夫醫師抱了潔伊，和我握了手，然後潔伊和我就一起走出門外，走向眞相揭曉後的新世界。

我們剛走出醫生的診療室，我突然想起我在水上樂園裡，從高速滑水道滑下來之後向潔伊說的話。「就算明天的掃描結果不好，」我對她說：「我還是只想讓妳知道活著是很棒的事情。我今天能夠在這裡，活著和妳在一起，眞的很快樂。不論掃描的結果怎麼樣，我反正不會在我們聽到消息的時候就死，也不會第二天就死，或者第三天，或者第四天。所以，今天，在當下這個時刻，這是個美妙的一天。我要妳知道我有多麼享受這一天。」

我想到了那一刻的情景，還有潔伊臉上的微笑。

我於是明白體認到，我的餘生就應該要這麼過。

13 開著敞篷車的人

一天早上，那時我早已得知自己罹患癌症，我接到了卡內基美隆大學發展事務處副主任蘿比．柯薩克（Robbee Kosak）的一封電子郵件。她告訴了我一個故事。

她說她前一天晚上在開車回家的路上，發現自己前方有個人開著一輛敞篷車。那是個暖和美好的初春傍晚，那個人把車頂收了起來，車窗也都降了下來。他的手臂垂在駕駛座的門外，手指跟著收音機上的音樂敲打著節奏，頭也跟著擺動，頭髮則隨風飄揚。

蘿比變換車道，拉近了和那輛車的距離。她從側面看到那個人臉上掛著微笑，就是一般人在獨處的時候，因爲心情愉快而露出的那種心不在焉的微笑。蘿比心想：「說到享受當下，這個人絕對是典型的模範。」

那輛敞篷車終於轉過了一個街角，這時候蘿比才終於看到了那個人的臉。「我的老天，」她心裡暗呼：「是蘭迪．鮑許！」

那幅景象深深印在她腦海當中。她知道我癌症診斷的結果很嚴重，但她在電子郵件裡寫道，她對我那副心滿意足的模樣深覺感動。在那個獨處的時刻裡，我的心緒顯然相當高昂。蘿比在電子郵件裡寫道：「你絕不知道那天看到你，讓我有多麼開心。你提醒了我人生的眞正意義。」

我把蘿比的電子郵件反覆看了幾次。我把她這封信也視爲一種回饋圈。

我在癌症治療期間，並不是隨時都能夠保持正面積極的態度。面對著嚴酷的醫療問題，實在很難確知自己的情緒狀況。我有時候都不禁懷疑自己和別人在一起的時候，是不是掩飾了內心眞正的感受，說不定我強迫著自己表現出堅強樂觀的態度。許多癌症患者都覺得自己有義務要擺出勇敢的模樣，我是不是也是這樣？

不過，蘿比在我毫無防備的狀況下看到了我。我希望她看到的那副景象就是原原本本的我。至少她那天傍晚看到的人，是毫無僞裝的我。

她的電子郵件只有短短一段文字，對我卻深富意義。她讓我窺見了我自己的內心狀態。我仍然完全投入在人生當中。我仍然知道人生是美好的。我過得還不錯。

14 荷蘭大叔的逆耳忠言

只要是認識我的人，都會說我向來對自己和自己的能力頗有自信。我通常會直言說出我的想法和信念。我對無能的表現缺乏耐心。

這些特質對我都是利多於弊。不過，信不信由你，有時候我在別人眼中也會顯得傲慢粗魯。在這種時候，能夠幫助你校正自己的人就非常重要了。

我姐姐譚美很不幸，遇到了我這個自以爲是萬事通的弟弟。我總是對她頤指氣使，就好像我們當初的出生順序搞混了，而我一心一意想要糾正這項錯誤一樣。

有一天，在我七歲、譚美九歲的時候，我們正在等校車，而我又和平常一樣喋喋不休，她終於覺得自己受夠了。於是，就在校車開到我們面前的時候，她把我的便當盒拿了起來，丟進地上的一個泥潭裡。結果我姐姐被叫到校長辦公室，我則是被帶到工友那裡去，由他幫我清洗便當盒，把沾滿了泥巴的三明治丟掉，還體貼地給了我買午餐的

錢。

校長對譚美說他已經打了電話給我們的媽媽。「我會把這件事交給她處理。」他說。我們放學回家之後，我媽說：「我會把這件事交給你們爸爸處理。」於是，我姐姐一整天都焦慮不安地等待著自己的命運。

我爸爸下班回家後，聽完事情經過，結果笑了出來。他不打算懲罰譚美，他根本是站在譚美那一邊，只差沒有爲她的舉動向她道賀而已。我的確該吃點苦頭，確實應該讓人把我的便當盒丟進泥潭裡。譚美鬆了一口氣，我也受到了應有的教訓——只是那時候我還沒有眞正銘記在心。

等到我上了布朗大學，我已經小有能力，別人也知道我有這樣的自信。我在大一認識的好朋友史考特．薛爾曼（Scott Sherman），現在回想當年，說我那時候「心直口快，大家都公認在所有同學當中，就數我最容易得罪剛認識的人」。

我通常不會注意到自己在別人眼中的形象，部分原因是我人生中的一切似乎進行得相當順利，我在學術方面的發展也頗爲成功。布朗大學資訊科學系的傳奇教授安迪．范丹（Andy van Dam），任命我擔任他的助教。大家都說他要求嚴苛，可是他喜歡我。我對許多事情都抱有高度的熱情——這是一項優點。可是就像許多人一樣，我有不少優

點同時也是缺點。在安迪眼中，我太過鎮定、太過性急，而且總是忍不住要與人針鋒相對，總是不斷提出自己的意見。

有一天，安迪帶我出去散步。他把手臂搭在我的肩膀上，然後說：「蘭迪，大家都覺得你太傲慢，這實在是很令人遺憾的事情，因爲你人生往後的成就會因此受限。」

回顧起來，他的遣詞用字實在非常完美。他實際上的意思就是說：「蘭迪，你是個混蛋。」可是他說這句話的方式，卻讓我願意接受他的批評，讓我願意聆聽我的偶像對我說出我需要知道的事情。有個俗語叫做「荷蘭大叔」（a Dutch uncle），指的就是對你坦率提供意見的人。現在很少有人肯這麼做了，所以這個用語感覺上已經有點過時，甚至沒有多少人知道（最湊巧的是，安迪正好就是荷蘭人）。

自從我的最後演講開始在網路上傳播開來之後，已有不少朋友開始調侃我，把我叫做「聖蘭迪」。他們其實是藉此提醒了我，我以前曾經有過其他更多采多姿的綽號。

不過，我喜歡認爲自己的缺點是在社交方面，而不是在道德層面。此外，我也非常幸運，多年來一直都有像安迪這樣的人從旁提醒我。他們因爲關心，所以願意把我必須知道的逆耳之言告訴我。

15 倒在後座上的汽水

在很長一段時間裡，我一直有一項身分，叫做「單身舅舅」。我四十歲以前沒有小孩，所以我姐姐的兩個孩子，克里斯與蘿拉，就成了我疼愛的對象。我非常陶醉於扮演「蘭迪舅舅」的角色。我每一兩個月就會出現在他們的人生中，引導他們從奇特的新角度觀看這個世界。

我沒有寵壞他們，只是想向他們傳達我自己的人生觀。但有時候，這麼做卻讓我姐姐抓狂。

十幾年前，在克里斯七歲、蘿拉九歲的時候，有一次我開著全新的福斯敞篷車去接他們。「坐蘭迪舅舅的新車要小心，」我姐姐對他們說：「上車前要先把腳擦乾淨，不要把車子裡面弄亂弄髒。」

我聽著她這麼吩咐小孩，心裡不禁產生了只有單身舅舅才會有的想法：「這就是那

種會讓孩子走上失敗人生的訓誡。他們當然會把我的車子弄髒，小孩就是這樣嘛。」於是，我決定讓事情簡單一點。就在我姐姐諄諄告誡著他們的時候，我故意慢慢打開了一罐汽水，然後把汽水倒在後座的布椅上。我要傳達的訊息：人比物重要。車子，就算是這麼一輛全新的敞篷車，也只不過是物品而已。

我一面倒著汽水，一面看著克里斯和蘿拉的表情。他們張著嘴巴，睜大了眼睛。瘋狂的蘭迪舅舅完全揚棄了大人的規定。

結果，我很慶幸自己倒了那罐汽水。因爲小克里斯在那個週末染上了感冒，在後座上吐得到處都是。他一點也不覺得內疚，而是覺得鬆了一口氣。他早就看到我爲車子後座施洗的行爲，所以他知道弄髒了沒關係。

他們姐弟和我在一起的時候，我們只有兩條規則：

一、不准哭哭啼啼。

二、不論我們一起做了什麼事，都不能告訴媽媽。

因爲不告訴媽媽，所以我們在一起做的所有事情都變成了海盜冒險。即便是平淡無

奇的事情，也因此變得神奇美妙。

在大多數的週末，克里斯與蘿拉都會到我的住處來玩。我會帶他們去秀比士披薩時光餐廳（Chuck E. Cheese），或者到郊外踏青，或是去博物館參觀。一旦遇到特別的週末，我們就會去住有游泳池的旅館。

我們三人喜歡一起做煎餅。我爸爸以前常問：「煎餅爲什麼一定要是圓形的？」我也會問一樣的問題，於是我們總是會做出各種奇奇怪怪的動物形狀煎餅。我喜歡煎餅麵團那種鬆垮垮的特性，因爲這麼一來，每煎出一片動物形狀煎餅，都像是一道心理學上的羅氏墨漬測驗。克里斯與蘿拉總是會說：「這不是我要做的動物形狀。」不過，這樣我們反倒能夠欣賞煎餅本身的形狀，自行想像那是什麼動物。

我看著蘿拉與克里斯長大成爲傑出的青年男女。蘿拉已經二十一歲，克里斯十九歲。現在，我愈來愈對自己能夠參與他們的童年覺得感恩，因爲我理解到了一件事情：我這輩子大概沒機會看到自己的孩子長到六歲以上，所以我和克里斯與蘿拉曾經共度的時光也就因此顯得更加彌足珍貴。他們送給我一份非常貴重的禮物，也就是讓我陪伴他們度過童年，以及青少年時代，看著他們長大成人。

不久前，我請克里斯和蘿拉幫我一個忙。在我離開人世之後，我希望他們能夠在週

末的時候帶我的孩子到處走走。只要想到什麼有趣的事情，都陪他們一起去做。他們不必重複我們以前做過的事情，可以放手讓我的孩子們帶頭。狄倫喜歡恐龍，說不定克里斯和蘿拉可以帶他參觀自然歷史博物館；羅根喜歡體育，說不定他們可以帶他去看鋼人隊的球賽；克蘿怡喜歡跳舞，他們一定能夠想出適合她的活動。

我也希望我的外甥外甥女能夠告訴我的孩子一些事情。首先，他們可以簡單地說：「你爸爸希望我們陪伴你們，就像他當初陪伴我們一樣。」我希望他們也會向我的孩子說明我有多麼努力讓自己活下去。我同意接受最痛苦的治療，就是爲了盡量延長我陪伴孩子們的時間。這就是我請蘿拉和克里斯幫我傳達的訊息。

哦，還有一件事。我的孩子如果把他們的車子弄髒了，希望克里斯和蘿拉能夠想到我而一笑置之。

16 追求難以撼動的磚牆

我一生遇過最難以突破的磚牆才一百六十七公分高，而且美麗無比。可是，這堵磚牆卻讓我潸然淚下，促使我重新評估我的一生，並且逼得我在惶然無助的情況下打了電話給我爸爸，求他指引我該怎麼跨越這道障礙。

那堵磚牆就是潔伊。

如同我在演講裡說的，我在學術與職業生涯中頗善於衝破磚牆。我沒有向聽眾講述我追求我太太的故事，因爲我知道我一定會克制不住自己的情緒。儘管如此，我在台上說的話，仍然完全適用於我和潔伊初識之際的情況：

「……磚牆之所以存在，是爲了阻擋那些其實沒有那麼想要這件東西的人。磚牆存在的目的就是要排除那些人。」

潔伊和我初次相識的時候，我是個三十七歲的單身漢。我把很多時間花在約會上，

玩得很開心。可是我的女友一旦想要認眞探討我們的未來，就不免走上分手之路。多年來，我一直不覺得有需要定下來。我雖是已經拿到終身職的教授，收入還算不錯，但我仍然住在一個月租金四百五十美元的公寓閣樓裡，必須爬防火梯上去。我的研究生不會住在這種地方，因爲這種住處對他們來說太過寒酸。但這裡對我而言卻非常理想。

一個朋友曾經問我：「你覺得有什麼女人看到這個地方，還會對你有好印象？」

我回答：「我的眞命天女就會。」

不過，我到底想騙誰呢？我是個長不大的小孩，愛好玩樂，又對工作狂熱，住處的餐廳裡還擺放著金屬折疊椅。不論是什麼樣的女人，就算是我的眞命天女，也不可能願意定居在這種環境裡（後來潔伊終於進入我的人生之後，她也一樣不願意）。的確，我有一份好工作，也有其他優點，但我實在不是女人心目中理想的結婚對象。

我在一九九八年的秋天認識潔伊，當時我獲邀到教堂山北卡羅萊納大學發表一場虛擬實境科技的演講。潔伊那時三十一歲，是比較文學所的研究生，在該校的資訊科學系裡打工。她的工作是接待前來參訪實驗室的訪客，不論是諾貝爾獎得主還是女童軍團體。在舉辦演講的那一天，她負責接待我。

潔伊在前一年夏天曾在奧蘭多舉行的電腦繪圖研討會上聽過我演講。她後來對我

說，她那個時候本來想在演講結束後向我自我介紹，可是卻沒有那麼做。她一得知自己將負責接待我，隨即到我的網站多了解一下我這個人。她瀏覽了我的學術經歷之後，接著找到一些比較古怪的個人資訊——譬如我的嗜好是製作薑餅屋，以及縫紉。她看到我的年紀，發現我沒提到自己有妻子或女友，但有許多外甥女和外甥的照片。

她覺得我顯然是個相當搞怪而且有趣的人，也因此對我產生好奇，而打了幾通電話給她在資訊科學界裡的朋友。

「你對蘭迪．鮑許有什麼了解？」她問：「他是同性戀嗎？」

她得知我不是同性戀。實際上，她還得知我花名在外，是個永遠不會定下來的花花大少（我當然不是什麼風流倜儻的性感帥哥，只是就電腦科學家的標準而言，我也算得上是「花花大少」了）。

至於潔伊，則是曾和大學男友結過婚，但維持不久便在沒有小孩的情況下以離婚收場。有過那次經驗之後，她對再次認眞談感情即有如驚弓之鳥。

我那天第一眼見到她，眼睛就再也離不開她身上。當然，她是個美人，當時留著一頭風情萬種的長髮，臉上的微笑則透露出她和善又淘氣的個性。他們帶我到一間實驗室去觀看學生示範他們的虛擬實境研究計畫，但我卻因爲潔伊站在一旁，而一直很難把注

意力放在他們身上。

不久之後，我就開始採取猛烈攻勢。由於那是工作場合，所以我只能盡量和她目光接觸。潔伊後來對我說：「我那時候不知道你是對每個人都會這樣，還是特別挑上了我。」相信我，我絕對是特別挑上了她。

在那一天，潔伊一度和我坐下來談話，問我能不能把若干軟體計畫移植到北卡羅萊納大學。到了那個時候，我已經完全迷上了她。我那天晚上必須參加一場正式的教師晚宴，但我問她願不願意在晚宴結束後和我一起喝一杯。她同意了。

我在整場晚宴上一直心緒不寧，只希望那些終身職教授能夠吃飯吃得快一點。我說服了大家不要再點甜點，終於在八點半脫身，隨即打了電話給潔伊。

我們去了一家葡萄酒吧。我雖然沒有喝酒，卻很快就感到一股強大的吸引力，只希望能夠和這個女人在一起。我原本預定搭第二天早上的班機回家，但我對她說只要她願意第二天和我約會，我就更改班機時間。她說好，結果我們共度了一段美好無比的時光。

我回到匹茲堡之後，要她用我累積的飛行里程數換取機票，搭機過來找我。她對我顯然有感情，卻又感到害怕——一方面是因爲我的不良名聲，另一方面則是怕自己陷得太深。

「我不去，」她寫了一封電子郵件給我：「我考慮過了，我實在不想談遠距戀愛。很抱歉。」

我已經無法自拔，而且認爲自己還應付得了這道磚牆。我寄了一打玫瑰給她，還有一張卡片，上面寫著：「我雖然很傷心，但還是尊重妳的決定。我只希望妳好。蘭迪。」

這招一出手就奏效。她搭上了飛機。

我承認，我要不是無可救藥的浪漫主義者，不然就是有點不擇手段。不過，我就是想要她進入我的人生。就算她還不確定自己的感受，我總之是已經墜入了愛河。

接下來的那個冬天，我們幾乎每個週末都見面。潔伊對我心直口快而且自以爲無所不知的態度雖然不是特別著迷，但她說我是她遇過最積極樂觀的人。她也激發了我好的一面。我發現，她的幸福與快樂已成了我心目中最重要的事情。

最後，我終於開口求她搬到匹茲堡。我說我要買一只訂婚戒指給她，可是我知道她心裡還是有恐懼的陰影，這樣的提議一定會嚇壞了她。所以，我沒有給她壓力，而她也同意先踏出第一步：搬到匹茲堡，自己租一間公寓。

四月，我刻意安排到北卡羅萊納大學教一項週末研討課程，藉此幫她打包，然後再

開車把她的家當載到匹茲堡。

我抵達教堂山之後，潔伊說我們必須談談。我從沒看過她那麼嚴肅。

「對不起，我不能去匹茲堡。」她說。

我不知道她在想什麼，於是問了原因。

她的答案：「我們不會有結果的。」我一定要知道爲什麼。

「就是……」她說：「我沒辦法以你希望的那種方式愛你。」然後，她又進一步強調：「我不愛你。」

我滿心驚恐，肝腸寸斷，感覺就像肚子被人重重擊了一拳。她是說眞的嗎？

那個場面頗爲尷尬。她不知道該有什麼感覺，我也不知道該有什麼感覺。我需要有人載我到旅館去。「妳願意載我嗎？還是我該叫計程車？」

她載了我過去。到達旅館之後，我從行李箱裡拿出我的行李，強忍著不讓淚水流出來。人如果有可能同時結合傲慢、樂觀與悲慘的情緒，那麼我當時大概就做到了這一點：「聽好，我會設法讓自己過得快樂，也很希望能夠和妳一起過著快樂的生活。可是我如果不能和妳一起過著快樂的生活，那麼我也會在沒有妳的情況下讓自己快樂。」

在旅館房間裡，我花了大半天的時間和我父母通電話，向他們述說我剛剛撞到的這

堵磚牆。他們的忠告使我深深受用。

「我告訴你，」我爸說：「我覺得她不是說眞的。她的話並不合乎她和你交往以來的行爲。你要求她放棄自己的一切，和你一起走，所以她大概心裡很混亂，而且怕得要死。她要是眞的不愛你，那麼你們就結束了。可是她如果愛你的話，那麼你們的愛一定能夠克服障礙。」

我問他們我該怎麼做。

「支持她，」我媽說：「你如果愛她，就要支持她。」

我聽從了他們的建議。我那一週除了教書之外，就待在和潔伊位於同一條走廊上的辦公室裡。但我順道找了她幾次，看看她好不好。「我只想看看妳好不好，」我說：「如果有我可以幫忙的地方，就告訴我吧。」

幾天後，潔伊打了電話給我。「蘭迪，我坐在這裡想著你，只希望你能夠在我身邊。這種感覺應該有點道理吧，對不對?」

她終於體認到：她畢竟是愛我的。我父母又再一次說中了。我們的愛克服了障礙。等到那個週末，潔伊就搬到了匹茲堡。

磚牆的存在是有原因的，目的在於讓我們有機會證明自己多麼想要一件東西。

17 童話故事不一定都有圓滿結局

潔伊和我的婚禮地點選在匹茲堡一幢著名的維多利亞宅邸。這幢宅邸的草坪上有一株百歲的橡樹，我們就在樹下成婚。那是一場小婚禮，可是我喜歡浪漫的場面，於是我們同意以一種特殊的方式展開我們的婚姻。

我們不是開車拖著叮噹作響的鐵罐離開婚禮會場，也不是搭乘馬車，而是搭上五彩繽紛的熱氣球，飛上雲端，看著我們的朋友和親人在地面上向我們揮手，祝我們旅途愉快。那幅畫面多麼像柯達相紙的廣告啊！

我們踏上熱氣球的籃子，潔伊笑得很開心。「這好像迪士尼電影裡的童話故事結局。」她說。

氣球上升的時候，撞到了不少樹枝。那聲音聽起來不像興登堡飛船災難那麼可怕，不過還是讓人有點不安。「沒關係，」氣球駕駛員說：「穿越樹枝通常不會有問題。」

通常？

我們起飛的時間也比預定時間晚了一點，駕駛員說這樣會比較麻煩，因爲天色已經開始變暗，而且風向也改變了。「我其實不太能夠控制我們飛行的方向。風往哪邊吹，我們就往哪邊飛，」他說：「可是應該不會有問題。」

氣球飛越了匹茲堡市區，在當地著名的三條河流上來回飄盪。駕駛員不希望氣球飛到這個地方，我看得出來他有點擔心。「這裡沒有地方降落。」他說，聲音很低，像是在自言自語。然後又對我們說：「我們要繼續找找看。」

我們這對新婚夫婦已經沒有心情欣賞風景了。我們全都努力尋找市區哪裡有空曠的地方。最後，我們飄到了市郊，駕駛員發現遠處有一片空地。他決定在那裡降落。「這樣應該行得通。」他一面說，一面開始急速降落。

我俯瞰著那片空地。空間看起來很大，可是我注意到邊緣有一條鐵軌。我沿著鐵軌一路望去，結果看到有一輛火車正疾駛而來。那一刻，我已不再是新郎，而是恢復了工程師的身分。我向駕駛員說：「先生，我好像看到了一項變數。」

「變數？你們搞電腦的人說『變數』的意思是指『問題』嗎？」他問。

「呃，是啊。我們如果撞到火車怎麼辦？」

這張照片是我們搭上熱氣球之前拍的。

他誠實地回答了我的問題。我們身在熱氣球的籃子裡，我們的籃子撞上火車的機率很小。不過，氣球本身（叫做「氣囊」）因爲體積很大，倒是有可能在我們著地後落在鐵軌上。氣囊如果纏上了疾駛而過的火車，那麼我們就會連人帶籃子一起被拖著走。這麼一來，嚴重的身體傷害就不只是有可能，而且是非常有可能了。

「我們一落地，你們就立刻往外跑。」駕駛員說。這實在不是大多數新娘會夢想自己在婚禮當天聽到的話。簡而言之，潔伊這時候已經不再覺得自己像迪士尼卡通裡的公主了。我則是把自己當成災難片裡的主角，想著該怎麼在即將來臨的災難中拯救我的新婚妻子。

我直視著駕駛員的雙眼。別人如果擁有我所沒有的專長，我通常就會仰賴對方，而且我也想明白他對當前的情況有什麼看法。在他臉上，我看到的不只是擔憂，還有微微的恐慌。我也看到了恐懼。我看了潔伊一眼。我們的婚姻到目前爲止雖然時間很短，但至少我覺得很美滿。

隨著氣球不斷下降，我也一再盤算著必須多快跳出籃子，然後死命奔跑。我想駕駛員應該能夠照顧好自己。如果不行的話，我還是會先救潔伊。畢竟，她是我的愛人，而氣球駕駛員和我才初次見面而已。

駕駛員不斷放出氣球裡的氣體。他拉著所有的拉桿，一心只想趕快降落。在那一刻，他就算撞到鄰近的房子，也勝過撞上那列火車。

我們在空地上迫降的時候，籃子猛烈撞擊了地面，彈跳了幾下，然後幾乎橫倒了下來。過沒幾秒鐘，消了氣的氣囊也隨之落到地面上，但所幸沒有纏上那列火車。這時候，附近公路上的人都看到了我們著地，於是紛紛停下車子，跑過來幫助我們。那一幕眞是令人難以忘懷：潔伊穿著新娘禮服，我穿著西裝，氣球癱軟在地，駕駛員則是大大鬆了一口氣。

我們驚惶不已。我朋友傑克負責開車在地面上跟隨著氣球，他趕到我們身旁的時

候，看到我們經歷了這場生死一線的驚險事故之後安然無恙，欣喜之情溢於言表。

我們花了一點時間鎮定下來之後，才從這次經驗中提煉出這項教訓：即便是童話故事般的美妙時刻，也還是可能會有風險。在這同時，消了氣的熱氣球則被裝載到駕駛員的卡車上。然後，就在傑克準備載我們回家的時候，那個駕駛員小跑步到我們面前。「等一下，等一下！」他說：「你們訂購的是婚禮套裝行程，還有附一瓶香檳！」他給了我們一瓶從他卡車上拿下來的廉價香檳。「恭喜！」他說。

我們勉強擠出一絲笑容，向他道了謝。這只是我們結婚第一天的黃昏而已，但我們畢竟熬了過來。

18 不是所有東西都需要修理

我們婚後不久，在一個暖和的日子裡，我走路到卡內基美隆大學，潔伊則待在家裡。我特別記得這一點，因爲那一天後來成爲我們家非常著名的一天，原因是潔伊在那一天達成了「一人開車，兩車遭殃」的壯舉。

我們的小貨車停在車庫裡，我的福斯敞篷車則停在車道上。潔伊把小貨車開出車庫，卻沒有意識到另一部車擋在出路上。結果就是：砰磅，碰！

接下來的事情，證明了我們有時候其實都不免活在《我愛露西》的世界裡（譯註：《我愛露西》是美國深受歡迎的電視喜劇影集，女主角露西是個家庭主婦，因爲傻大姐般的個性而經常惹出麻煩。她先生則是個急性子，因此常被太太的行爲搞得一肚子火）。潔伊那一整天的心思，就是想著自己該怎麼在先生下班回家的時候解釋這項意外。

她認爲最好的方法，就是先營造美好的情境，然後再伺機透露壞消息。她把兩輛車都停進車庫裡，關上車庫門，然後在我回家的時候表現得比平日還要溫柔體貼，關切地問我這一天的工作情形。她放了輕音樂，做了我最喜歡的餐點。她沒有穿性感睡衣——我沒那麼幸運——但也竭盡全力扮演著完美嬌妻的角色。

在美妙的晚餐即將結束之際，她說：「蘭迪，我有一件事要告訴你。我開一輛車撞到了另一輛車。」

我問她事情的發生經過，還有損傷的嚴重程度。她說敞篷車的狀況比較慘，可是兩部車都還是可以開。「你要到車庫去看看嗎？」她問。

「不要，」我說：「先把晚餐吃完吧。」

她大出意外。我沒有生氣，而且似乎根本不當一回事。她不久之後才發現，我這種平靜的反應其實是從小養成的習慣。

吃完晚餐後，我們去看了車。我只聳了聳肩，然後看到潔伊一整天下來的焦慮不安逐漸褪去。「明天早上，」她向我保證：「我會找人來估價，看看修理要多少錢。」

我說沒有必要這麼做。鈑金凹陷沒有關係。我爸媽從小就教我，汽車只不過是把人從一個地方載到另一個地方的工具。汽車是實用的物品，不是社會地位的表徵。於是，

我向潔伊說我們不必做美觀的整修，我們就開著有凹陷刮痕的車子就好了。

潔伊有點吃驚。「我們真的要開著有凹陷的車子到處跑嗎？」她問。

「潔伊，妳不能只選擇接受一部分的我，」我向她說：「我不會因爲我們擁有的兩件『東西』受到損傷就生氣，可是妳既然喜歡我這一面，也就必須接受我認爲東西還可以用就不必修理的想法。這兩輛車還是可以開，就這樣開吧。」

好吧，我這樣也許有點奇怪，可是你的垃圾桶或手推車如果撞凹了一個洞，你也不會因爲這樣就去買個新的。也許這是因爲我們不會用垃圾桶或手推車來向別人展示自己的社會地位或身分。對於潔伊和我來說，車子鈑金的凹陷成了我們婚姻中的一項宣示。不是所有東西都一定要修理。

19 新年驚魂記

不論事情有多麼糟，還是有可能被人弄得更糟。不過，我們通常也有改善情況的能力。我在二〇〇一年的除夕學到了這一課。

當時潔伊懷了狄倫，已有七個月的身孕，我們於是打算在家裡靜靜迎接二〇〇二年的到來，看DVD度過除夕夜。

電影才剛開始，潔伊就對我說：「我的羊水好像破了。」可是流出來的不是水，而是血。她剛說完話就開始大量出血，於是我知道已經來不及叫救護車了。我只要不管紅燈，開車四分鐘就可以到匹茲堡的瑪姬婦幼醫院。於是，我就眞的一路飛馳過去。

我們抵達急診室的時候，醫生、護士，以及其他醫院人員隨即圍了上來，拿著點滴、聽診器，以及保險表單。醫生很快就診斷發現潔伊的胎盤已經脫離了子宮壁，這種現象叫做「胎盤剝離」。胎盤既已岌岌可危，胎兒自然也難以獲得身體所需的補給。他

們不必說這種現象有多麼嚴重，潔伊的健康和孩子的生命都已危在旦夕。

過去幾個星期以來，潔伊的懷胎狀況一直不太好。她不太感覺得到胎兒的踢動，她自己體重的增加幅度也不夠。由於我知道病患必須努力爭取才能獲得適切的醫療照護，所以堅決要求醫生再爲她照一次超音波。檢查之後，醫生才發現潔伊的胎盤狀況不佳，所以胎兒的成長狀況也不好。於是，醫生爲潔伊打了一針類固醇，以刺激胎兒肺臟的發育。

這一切都相當令人擔心。不過，現在身在急診室裡，情況更是嚴重得多。

「你太太已經快要達到臨床休克的狀態。」一個護士說。潔伊非常害怕，我從她臉上看得出來。至於我呢？我也很怕，可是我盡力保持鎮定，以便評估狀況。

我環視了周遭，這時是除夕晚上九點。當然，醫院裡的資深醫師或護士一定都已經下班了，我只能假設現在醫院裡的醫療人員都是二軍，他們有足夠的能力可以挽救我的孩子和太太嗎？

不過，這些醫生和護士在不久之後就讓我放下了心，他們如果是二軍，那麼他們的表現實在是超乎水準。他們雖然動作急促，卻毫不忙亂。他們看起來一點也不驚慌，而且顯得很有自信，完全知道在每一刻該怎麼以最有效率的方式做好該做的事情。此外，

他們說的話也都非常得體。

潔伊被推進手術房進行緊急剖腹產的時候，她向醫生說：「狀況很糟糕，對不對？」

我非常欽佩醫生的回答。她的回答正適合我們當前這個時代。「我們要是眞的很驚慌的話，就不會讓妳簽那些保險表單了，是不是？」她對潔伊說：「我們一定不敢浪費時間做那些事。」醫生說的很有道理。不知道她多麼常用這套「醫院文書工作」的說詞安撫病患的情緒。

無論如何，她的話確實讓我們覺得安心不少。然後，麻醉師把我拉到一邊。

「聽好，你今天晚上有一件工作，」他說：「而且這件工作只有你能做得到。你的太太已經接近臨床休克，她要是眞的休克，我們還是可以治療她，可是會很不容易。所以你要幫她保持鎭靜，我們要你幫她保持清醒。」

大家通常都假裝先生在太太生產的時候確實有他必須扮演的角色。「呼吸，親愛的。很好，繼續呼吸，很好，很好。」我爸爸向來覺得這種丈夫在旁指導的文化有些可笑，因爲他在太太產下頭一胎的時候，還自己在外面吃起司漢堡。不過，我現在卻是眞的有我必須做的工作。麻醉師說的話直截了當，但我感覺得到他這項要求有多麼嚴肅。「我不

知道你該對她說什麼，或是該怎麼說，」他告訴我：「我就直接把這項任務交給你了。她如果感到害怕，想辦法安撫她的情緒就對了。」

他們展開了剖腹產的手術，我緊緊抓著潔伊的手。我看得到手術進行的狀況，可是她看不到。我決定把我自己看到的一切平靜地告訴她，我要讓她知道眞相。

她雙唇發紫，全身不斷發抖。我摩挲著她的頭，然後用雙手握住她的手，設法用直接但是令人安心的口吻向她描述手術進行的狀況。潔伊則是努力保持清醒、維持鎮定。

「我看到了孩子，」我說：「孩子出來了。」

潔伊臉上滿是淚水，問不出那個難以啓齒的問題，可是我把答案告訴了她：「他在動。」

然後，那個嬰兒，我們的第一個孩子狄倫，哭出了石破天驚的一聲。實在足以把人給嚇死。護士全都露出了微笑。「太好了。」有人說。早產兒如果悶不吭聲，下場通常最慘；如果生下來的時候氣憤不已，大聲號哭，則是表示他充滿了戰鬥力。這樣的孩子才能存活下來。

狄倫體重一千三百公克，頭顱大概只和棒球一樣大。但好消息是，他自行呼吸得相當順利。

潔伊深深感動，也放下了心頭上的一塊大石。在她的微笑裡，我看到她發紫的嘴唇慢慢恢復了紅潤。我深深以她為榮，她的勇氣使我訝異，她沒有陷入休克是不是我的功勞？我不知道。但我為了讓她保持意識清醒，已經盡力說了我能說的話，做了我能做的事，也克制了我的情緒。我努力不讓自己驚慌失措，也許這樣眞的有幫助。

他們把狄倫送進新生兒加護病房。我從這時開始才理解到，對於孩子住在那些病房內的父母來說，醫生與護士的安慰言語是非常重要的。在瑪姬醫院，他們非常善於同時傳達兩種互相矛盾的概念。他們以短短幾句話告訴孩子的父母：（一）你的孩子非常特別，我們了解他具有獨特的醫療需求；（二）別擔心，我們這裡早就有過幾百萬個像這樣的嬰兒，他們都安然度過了危機。

狄倫不需要呼吸器，可是我們每天還是滿心擔憂，只怕他的狀況會轉壞。我們一直覺得，這時候要慶祝家裡添加了新成員，未免言之過早。潔伊和我每天開車去醫院的時候，心裡都有這項說不出口的念頭：「我們到醫院的時候，孩子是不是還活著？」

有一天，我們抵達醫院之後，發現狄倫的病床不見了。潔伊激動得幾乎快要昏倒，我的心臟也怦怦直跳。我隨手抓住了附近的一位護士，只差沒有勒著她的領子，而且連話也說不順暢，只能斷斷續續地道出我的恐懼。

「嬰兒。姓鮑許的。在哪裡？」

那一刻，我覺得全身的力氣似乎都被抽光了。我只怕自己即將進入一個從來不曾目睹過的黑暗世界。

可是那位護士卻露出了微笑。「哦，你的孩子狀況很好，所以我們把他移到樓上的開放式病床。」她說。狄倫原本是在所謂的「封閉式病床」，實際上就是保溫箱。

我們鬆了一口氣，隨即衝到樓上的另一間病房，狄倫正在裡面哭叫著。

狄倫的誕生過程提醒了我一點：我們對自己的命運其實扮演相當重要的角色。潔伊和我要是情緒崩潰，事情就會變得更糟。她大可歇斯底里，讓自己陷入休克當中；我也可以深受打擊，而在手術房裡完全幫不上忙。

經過這段苦難的歷程，我想我們從來沒有互相抱怨：「眞是不公平。」我們只是勇往直前。我們知道自己可以做出什麼樣的行爲，促使事情產生正面的結果——而我們也的確付諸實行。我們雖然沒有說出來，但我們的態度就是：「邁步向前走吧。」

20 五十年從未提及的事

我爸爸在二〇〇六年去世之後，我們整理了他的東西。他向來充滿活力，留下來的物品也呈現了他一生中的種種冒險。我找到了許多照片，包括他年輕時彈手風琴的模樣、中年的時候穿著耶誕老公公服裝的造型（他非常喜歡扮演耶誕老公公），還有他年老的時候，手中抱著一隻體積比他還大的玩具熊。另外有一張照片是在他八十歲生日拍的，他當時和一群二十幾歲的年輕人一起坐在雲霄飛車上，臉上掛著開心的笑容。

在我爸爸的遺物裡，我發現了許多令我微笑的神祕事物。比如他留著一張自己的照片——看起來似乎是在一九六〇年代早期拍的——畫面上的他穿著西裝，打了領帶，身在一家雜貨店裡。他一隻手舉起了一個小小的褐色紙袋，我永遠不會知道那個紙袋裡面裝了什麼，可是依我爸爸的個性推想，一定是會讓人眼睛一亮的東西。

他下班之後，有時候會帶個小玩具或糖果回家，然後在拿給我們的時候還會裝模作

我爸爸身穿軍裝的模樣。

樣一番，引起我們的期待之心。他把那些東西拿給我們的方式，總是比那些東西本身還要有趣。那張紙袋相片勾起了我的這項回憶。

我爸爸也保存了許多紙張，裡面有他保險工作上的信件，還有他慈善計畫的文件。然後，在這堆紙張裡面，我們發現了一張頒發於一九四五年的褒揚令。那時候我爸爸還在軍隊裡，那張褒揚令表彰了他的「英勇成就」，頒發人是七十五步兵師的師長。

一九四五年四月十一日，我爸爸的步兵連遭到德軍攻擊。在那場戰役的初期階段，敵軍的砲擊導致了八人受傷。褒揚令上寫著：「二等兵鮑許不顧自身安危，由掩蔽處躍出治療傷患，無視於密集落在他周遭的砲彈。他的醫護措施成效甚佳，所有傷患皆安全撤離戰場。」

爲了表揚這項行爲，我那位當時才二十二歲的爸爸獲頒一枚銅星勳章。

在我父母婚後五十年間，在我爸爸和我說過的許許多多話語當中，他從來沒有提過這件事。於是，在他去世幾週之後，我才從他的遺物裡再次學到了犧牲的眞義，還有謙遜的力量。

21 堅強的潔伊

我問過潔伊有沒有從我罹癌的事件當中學到一些教訓。結果，她大可用她學到的經驗寫出一本書，書名就叫：《最後的演講？算了吧，以下才是眞實的故事》。

我太太是個非常堅強的女性。我欽佩她的率直與誠實，也很感激她願意直言指出我的缺點。即便到了現在，我雖然只剩下幾個月的壽命，我們還是盡量以平常心對待彼此，就好像我們的婚姻還有數十年的未來一樣。我們討論，我們灰心，我們生氣，然後又和好。

潔伊說她還在思考著該怎麼對付我，可是她已經有進展了。

「蘭迪，你一直都秉持著科學家的態度，」她說：「你要科學嗎？好，我就給你科學。」她以前總是向我說她對某件事懷有「強烈的直覺感受」。現在，她則是會拿出佐證的資料。

舉例而言，我們去年耶誕節原本要探訪我這邊的家人，可是他們都得了流感。潔伊不希望我或我們的孩子遭到傳染。我認爲我們還是應該去，畢竟我已經沒有多少機會可以再見他們一面了。

「我們只要保持距離就好，」我說：「不會有事的。」

潔伊知道她需要資料，於是打電話給了一個當護士的朋友。她還打電話給我們這條街上的兩名醫生，問了他們的醫學意見。他們認爲帶孩子去不是明智的做法。「蘭迪，我找了中立第三者的醫學權威，」她說：「這是他們的建議。」看過資料之後，我的態度就軟化了。我自己走了一趟，見了我的家人，潔伊和孩子們則待在家裡（我沒有受到傳染）。

我知道你在想什麼。像我這樣的科學家大概不太容易相處。

潔伊對付我的方式就是坦承以待。我一旦偏離常軌，她就會讓我知道。要不然，她也會先提出警告：「有一件事情讓我覺得很困擾。我還不確定是什麼事，等我想出來之後再告訴你。」

另一方面，由於我的預後狀況，潔伊說她也學著對一些小事情視而不見，這是我們的諮詢師提出的建議。萊絲醫師非常善於幫助配偶罹患絕症的人士重新調整家庭生活，

像我們這樣的婚姻必須找出方法，因應「新的常態」。

我習慣亂丟東西。我的衣服，不論乾淨或髒的，總是丟得臥房裡到處都是，而且我的浴室洗手檯上也堆滿了東西。潔伊總是會因爲這點而抓狂，在我生病之前，她會埋怨我這種行爲，可是萊絲醫師建議她不要讓這種小事破壞了我們的婚姻。

當然，我應該要整潔一點，我該爲自己的許多行爲向潔伊道歉。不過，她現在已不再告訴我那些讓她惱怒的小事情了。在我們僅有的這最後幾個月，我們難道要因爲我沒有把卡其褲吊起來，而把時間花在爭吵上嗎？我們不願意這樣。所以，現在潔伊只會把我的衣服踢到角落裡，當做沒看到。

我們一個朋友建議潔伊寫日記，潔伊說這個方法頗有幫助。她會把我讓她生氣的事情寫在日記裡。「蘭迪今天晚上吃完飯後，沒有把盤子放進洗碗機裡，」她有一天晚上這麼寫道：「他把盤子丟在桌上，就跑去弄他的電腦了。」她知道我心不在焉，滿腦子只想著要到網路上搜尋可能的治療方式。儘管如此，我把盤子丟在桌上還是讓她覺得生氣。我不能怪她。於是，她把自己的感受寫下來，讓自己有個發洩的管道，又不必和我爭吵。

潔伊盡力專注於當下，不去想未來那些負面的事情。「我們如果每天都把時間花在

爲明天提心吊膽，這樣是沒有幫助的。」她說。

最近這次除夕，我們家中卻充滿了多愁善感、憂喜參半的情緒。今年是狄倫的六歲生日，所以我們慶祝了一番。我們心中也對我能夠活到新的一年深懷感恩。不過，我們不忍心提起那項顯而易見的禁忌議題：也就是我將無法陪伴他們度過未來的除夕。

我在那一天帶狄倫去看了一部電影，片名叫《魔法玩具城》，內容講述玩具製造家馬格瑞姆先生（Mr. Magorium）的故事。我事先在網路上看過這部片的介紹，可是那篇介紹沒有提到馬格瑞姆先生認爲自己死期已到，所以才把玩具店交給了學徒。於是，我們父子倆在戲院裡，狄倫坐在我腿上，爲了馬格瑞姆先生即將去世而痛哭流涕（他還不知道我的預後情形）。我的人生如果是一場電影，我和狄倫在電影院裡的這一幕一定會被評論家批評爲太過明顯的伏筆。不過，那部片中有一句對白卻一直留在我腦海裡。學徒（娜塔莉．波曼）向玩具製造家（達斯汀．霍夫曼）說他不能死，一定要活下去，他則回答說：「我早就做到這一點了。」

那天深夜，隨著新的一年即將來臨，潔伊可以看得出來我心情很沮喪。爲了逗我開心，她回顧了我們過去這一年來的不少美妙經歷。我們去度了浪漫假期，只有我們兩人。如果不是癌症提醒了我們時間有多麼寶貴，我們一定不會這麼做。我們看著孩子們

愈來愈獨立，而且我們家也充滿了美妙的能量和許多的愛。

潔伊鄭重發誓，說她一定會繼續爲我和孩子們而撐下去。「爲了你們四個，我一定會好好撐住，繼續走下去。我一定會的。」她保證道。

潔伊還說，她每天最快樂的事情就是看我和孩子們互動。她說克蘿怡和我說話的時候，我整個臉都會亮起來（克蘿怡才十八個月大，可是已經能夠說出四個字的句子了）。

耶誕節的時候，我刻意用一種奇特的方式爲耶誕樹掛燈。我沒有教狄倫和羅根小心翼翼地把燈掛上去，而是讓他們把燈任意丟到樹上。不論他們怎麼丟，我都沒關係。我們把那一幕混亂的景象用攝影機拍了下來，潔伊說那是個「神奇的時刻」，以後也將會是我們全家人最美好的記憶。

＊　＊　＊

潔伊到過專爲癌症病患及其家人所設置的網站。她在那邊找到了不少有用的資訊，可是沒辦法在那個網站上待太久。「很多留言的標題都是：『鮑伯的奮鬥結束了。』『吉姆的奮鬥結束了。』我覺得看那些留言實在沒什麼幫助。」她說。

不過，有一項留言卻促使了她採取行動。寫下這篇留言的婦女是胰臟癌患者的太太，他們原本計畫全家出外度假，可是因故延後了時間。結果，她先生就在他們重新排出時間之前去世了。「你一直想去什麼地方旅遊，就直接去吧，」她向其他人提出忠告：「要把握當下。」潔伊也發願要持續做到這一點。

潔伊認識了地方上同樣也有配偶罹患絕症的人，她發現和這些人談話很有幫助。她如果需要抱怨我的行爲，或者發洩自己承擔的壓力，就可以找這些人談談。

另一方面，她也盡量把注意力放在我們最快樂的時光上。我追求她的時候，每週都會送她一束花，還會把動物娃娃掛在她的辦公室裡。我當時全副心思都放在她身上，而只要我的行爲沒有嚇到她，她就對我這樣的表現樂在其中。她說她最近一直回憶起當初的情聖蘭迪，這些記憶能夠讓她微笑，支撐她度過沮喪的時刻。

順帶一提，潔伊也實現了不少兒時夢想。她想擁有一匹馬（這個夢想沒有眞的實現，可是她常去騎馬）；她想去法國（她實現了這個夢想，曾在大學期間到法國住了一個夏天）。更重要的是，她從小就夢想生育自己的小孩。

我希望自己能有更多時間幫她實現其他夢想。不過，孩子們已經幫我們圓了一個美妙無比的夢，這點對我們兩人而言都是一大安慰。

潔伊和我談及她從我們的人生旅程中學到的東西，總會提到我們如何從相互扶持中獲得力量，她說她對我們能夠敞開心胸談話深覺感恩。然後，她又提到我的衣服總是到處亂丟，讓她覺得很生氣，可是鑑於目前的狀況，她就不和我計較了。我知道：在她開始寫日記之前，我有義務要清理我自己造成的凌亂現象，我會多努力一點，這是我今年的一項新年新計畫。

22 說實話可讓人逃過一劫

我近來在維吉尼亞的新家附近因爲超速被警察攔了下來。我當時沒有注意，時速不小心稍微超過了速限。

「請出示你的駕照和行照。」攔下我的警官說。我把證件交給他，結果他在我由賓州核發的駕照上看到了我匹茲堡的地址。

「你在這裡幹什麼？」他問：「你是軍隊的人嗎？」

「不是。」我答道。我解釋說我才剛搬到維吉尼亞州，還沒有時間重新登記。

「那你爲什麼會搬過來？」

他問了個直截了當的問題。我沒有特別想什麼，就給了他一個直截了當的回答。

「警官，」我說：「既然你問了，我就說吧。我是癌症末期患者，只剩下幾個月可以活。我們搬到這裡是爲了和我太太的家人住近一點。」

那個警官偏著頭，斜睨著我。「癌症是吧？」他面無表情地說。他顯然在惦量著我。我眞的快死了嗎？我是不是在說謊？他認眞看了我好一會兒。「嗯，如果說你只剩幾個月可活的話，你的氣色看起來實在很不錯哪。」

他心裡顯然想著：「這傢伙可能是信口開河，也可能說了實話，可是我沒辦法知道眞相。」他面對的狀況實在很棘手，因爲他要做的是幾乎不可能辦到的事情。他一方面想質疑我沒說實話，卻又不想直接指控我是騙子。於是，他藉著這句話強迫我證明自己說的話是眞的。我能怎麼證明呢？

「呃，警官，我知道我看起來還滿健康的。這實在是很諷刺。我外表看起來氣色很好，身體裡面卻有腫瘤。」然後，不知道爲什麼，我竟然拉起了襯衫，露出身上的手術疤痕。那個警察看了我的疤痕，又看著我的眼睛。我從他臉上看得出來，他已經知道自己正在和一個來日無多的人說話。就算我是他攔下來過最厚顏無恥的騙子，他也不打算對我開罰了。「幫我個忙，」他說：「開慢一點。」

令人沮喪的事實讓我逃過了一劫。看著他走回警車，我突然意識到了一件事。我從來就不是金髮美女，不可能眨眨眼睛撒撒嬌，就打動警察不開罰單。於是，我按照速限慢慢開車回家，咧嘴笑得像個選美皇后。

四

幫助別人實現夢想

23 我正在度蜜月，但如果你需要我的話……

前幾天，潔伊派我出去買些日用品。我把清單上的東西都找到之後，心想自助結帳櫃台的速度會比較快，於是把信用卡插進機器裡，照著指示掃描每一件物品上的條碼。機器發出一陣嘁嘁喳喳的聲音，然後嗶了一聲，顯示我必須支付十六點五五美元，但沒有列印出收據。我又把信用卡重新插入一次，重複了一遍剛剛的動作。

不久之後，機器吐出了兩張收據。我的信用卡被扣了兩次款。

在那一刻，我必須做出一項決定。我可以去找商店主管，把事情告訴他，填寫表單，然後把我的信用卡拿去他的刷卡機，消除其中一筆十六點五五美元的扣款。這整個繁瑣的手續可能拖上十分鐘，甚至十五分鐘，而且對我來說一點樂趣都沒有。

我既然已經來日無多，難道還要把寶貴的時間花在取得那筆退款嗎？當然不要。多付額外的十六點五五美元對我來說會是很大的負擔嗎？不會。於是，我就這麼離開了那

家店，寧可浪費十六美元，換得十五分鐘。

我一生中一直都深切體認到時間是有限的。我承認我對許多事情的看法都過度理性，可是我深信自己最正確的一項執著，就是對時間管理的堅持。我曾經對我的學生疾言厲色地強調時間管理的重要性，也針對時間管理發表過演說。由於我對時間管理熟能生巧，因此我確實認為自己能把這段早夭的人生過得格外充實。

以下是我所知道的事情：

時間必須受到明確管理，就像金錢一樣。我的學生雖然有時候會對他們所謂的「鮑許主義」嗤之以鼻，但我還是一心為他們著想。我經常呼籲學生不要把時間投注在無關緊要的細節上，我會對他們說：「你把樓梯扶手的底部擦得再亮，也不會有人看到。」

計畫可以隨時改變，可是前提是必須先有計畫。我是待辦事項清單的忠實信徒，這種清單能夠讓我們把人生劃分成一個個小小的步伐。我曾經一度把「取得終身職」列在我的待辦事項清單上，回想起來實在是太過天眞。眞正有用的待辦事項清單，必須把待辦的工作分解成一個個小階段，就像我教羅根清理房間，也是叫他一次撿起一樣東西。

問問你自己：你是不是把時間都花在正確的事物上？你可能有些理念、目標，以及

興趣，可是這些東西是不是眞的値得追求？我一直保有一張從維吉尼亞州羅諾克市的報紙上剪下來的報導，這篇報導的照片顯示一名懷孕婦女向當地一座建築工地表達抗議，她擔心鑽岩機的噪音會傷害她的胎兒。問題是，照片中的這名婦女手上夾著一根香菸。她如果眞的那麼關心自己的胎兒，那麼與其向鑽岩機表示抗議，還不如趕緊戒菸。

建立良好的歸檔制度。我當初向潔伊說我要在家裡騰出一個空間，把所有檔案依照字母順序排列歸檔，她說這種做法未免太過神經質。我則是說：「按照字母順序歸檔至少勝過於到處找不到東西，而且還只能說：『我知道那個東西是藍色的，而且我知道我當初拿在手上的時候正在吃東西。』」

重新思考你使用電話的方式。在我生活的這個文化裡，經常必須在電話上花許多時間等待，聽著語音訊息對我說：「我們非常重視您的來電。」是啊，才怪。這種語音訊息就像一對男女第一次約會，結果男生打了女生一巴掌，然後說：「我眞的愛妳。」不過，當今的顧客服務就是這麼一回事，而我拒絕這樣無謂浪費自己的時間。我絕對不會拿著電話等待別人接聽，我一定會使用擴音功能，以便空出手來做其他事情。

我也發展出不少技巧，用於縮短不必要的電話談話時間。我如果坐著講電話，絕對不會把腳抬到桌子上。實際上，講電話的時候最好站著，這樣你比較會盡快把電話

講完。我也喜歡在桌面上擺著某件我想做的事情，這樣可以驅使我盡快結束和對方的談話。

多年來，我也蒐集了其他許多電話小祕訣。想要盡快打發電話銷售員嗎？那就在你自己講話講到一半的時候把電話掛掉。這麼一來，他們會認爲你的線路有問題，而轉爲打給下一名顧客。有事情需要聯絡別人，卻又不想講太久嗎？選在上午十一點五十五分，就在午餐時間之前打過去，這樣他們一定會盡快結束和你的談話。你也許認爲自己很重要，可是你絕對不會比午餐重要。

分派工作。身爲教授，我早就學到自己可以放心把辦公室的鑰匙交給聰明活潑的十九歲學生，他們通常會有負責任而且令人驚豔的表現。再小的孩子都可以是指派工作的對象。我女兒克蘿怡才十八個月大，我最喜歡的兩張照片是她在我懷裡的模樣。在第一張照片裡，我拿著奶瓶餵她；在第二張照片裡，我已經把這項工作指派給她了。她看起來很滿足，我也是。

休息一下。你如果不忘檢查電子郵件或手機留言，就不算是眞的休假。潔伊和我去度蜜月的時候，完全不想被人打擾。不過，我的老闆卻覺得我必須留下聯絡方式，讓別人找得到我。於是，我想出了這段理想的留言訊息：

「嗨，我是蘭迪。我等到了三十九歲才結婚，所以我太太和我要休息一個月去度假。希望你對這點不會有意見，可是我老闆偏偏有，他認爲我一定要讓別人聯絡得到。」然後，我說了潔伊父母的姓名還有他們居住的城市。「你從查號台就可以查到他們的電話號碼。如果你能夠說服我的岳父母，讓他們認爲你的急事確實比他們獨生女的蜜月更重要，那麼他們就會把我們的電話號碼給你。」

我們沒有接到任何電話。

我的時間管理祕訣有些非常正經，有些有點搞笑，但我相信這些方法絕對都值得參考。

時間是你最珍貴的資產。有一天，你也許會發現自己擁有的時間比你原本以爲的還少。

24 改過歸正的混蛋

教育界有一項流傳已久的陳腔濫調，認爲老師的優先目標就是協助學生學會學習的方法。

我認爲這點確實非常重要。不過，在我看來，另外還有一個更重要的目標：協助學生學會自我評估。

他們知不知道自己眞正的能力是什麼？他們了不了解自己的缺點？他們對別人看待他們的眼光有沒有務實的體認？

教師能夠教給學生最有用的東西，就是幫助他們更懂得自我反思。正如葛拉翰教練所教我的，我們唯一能夠改善自己的方式，就是眞正發展出評估自我的能力。我們如果沒辦法精確地評估自己，怎麼能夠判斷自己是進步還是退步了？

有些老一輩的人，經常抱怨現在的高等教育似乎總是把顧客服務放在第一位。學生

和父母都認爲自己花了一大筆錢購買教育服務，所以要求學習成果必須能夠受到測量。就好比他們走進一家百貨公司購物，只是他們買的不是五條設計師牛仔褲，而是五門科目的套裝課程。

我並不完全排斥顧客服務的模式，但我認爲教育效法的產業必須選對對象，教育不是零售業。我認爲大學教育比較像是在健身房裡付錢聘請個人教練，我們教授扮演的就是教練的角色，教導顧客使用各種健身器材（書本、實驗室，還有我們自己的專長），然後對他們提出嚴格的要求。我們必須確保學生眞的有付出努力學習，我們在他們表現優秀的時候必須稱讚他們，但如果發現他們沒有用盡全力，也必須坦率指出來。

最重要的是，我們必須讓他們知道怎麼判斷自己的進展。到健身房健身的好處是，你只要付出努力，就能夠得到非常明顯的效果。大學也應該如此，教授的工作就是教導學生觀察自己心智的成長狀態，就像他們照鏡子的時候能夠看到肌肉增長的狀況一樣。

爲了達到這種目標，我一直努力開發讓人聆聽回饋意見的工具。我總是不斷協助學生建立自己的回饋圈，這項工作一點都不容易。讓人樂於聆聽回饋意見，是我身爲教育工作者所遇過最困難的挑戰（在我的私人生活中也一樣不容易）。看到那麼多父母和教育工作者紛紛放棄這一點，就讓我深感難過。他們一旦談到建立自信，常常只是說些空

洞的讚美之詞，而不是以坦率的態度幫助別人建立正直的人格。我聽過許多人談到當今的教育體系每況愈下，而我認爲造成這種狀況的一個關鍵要素，就是我們現在都只懂得撫慰學生，卻太少給予他們眞正的回饋意見。

我在卡內基美隆大學教授「建構虛擬世界」這門課的時候，我們每兩個星期都會進行一次同儕回饋。這是一門完全依賴合作的課程，學生必須每四人組成一個團隊，從事虛擬實境的電腦作業。他們必須仰賴團隊成員的互相合作，而且他們的成績就會反映出他們的合作狀況。

我們會把所有的同儕回饋彙集成一份圖表。學生在學期間必須完成五項作業，每項作業各自和三個不同的隊員合作完成。到了學期結束的時候，每個人都會有十五個資料點。藉此統計出來的結果不僅具有統計上的意義，也可讓學生務實看待自己。

我會製作一份由多種顏色顯示的長條圖，讓學生看出自己在若干簡易指數上面的得分。例如：

一、他的同儕是否認爲他很認眞？他的同儕認爲他爲這項作業投入了幾個小時的時間？

二、他的貢獻具有多大的創意？

三、他的同儕認爲他容不容易合作？他會不會以團隊爲重？

我一再指出，藉由同儕的看法，即可精確得知你這個人是否容易合作。這點尤其適用於以上的第三項指數。

統計結果的長條圖非常明確，每個學生都可以知道自己和其他四十九個同儕比較之下的排名狀況。

這些長條圖還會搭配同儕回饋意見，也就是其他同學給你的改進建議，例如：「不要打斷別人的話。」

我希望學生看完這些回饋結果之後，至少會有幾個人對自己說：「哇，我得再努力一點才行。」這樣的回饋結果很難視而不見，但有些學生還是會置之不理。

在我教的另外一門課裡，我讓學生用同樣的方式互相評估，但把全班同學依照排名順序分成四等分，並且只讓學生知道自己屬於四等分當中的哪一個區塊。我記得自己和其中一名學生的一場談話，班上同學都認爲這名學生特別討人厭，他雖然很聰明，卻因爲過度自信，以致自己完全沒有意識到別人對他的觀感。他看到自己屬於最差的那個區

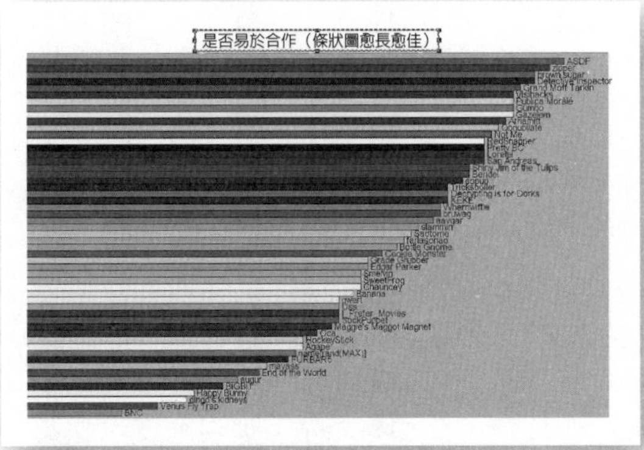

塊，但仍不爲所動。

他認爲，自己如果屬於分數最低的百分之二十五，那麼他實際上的得分一定是百分之二十四或二十五（而不是在最低的百分之五當中）。所以，他認爲自己其實相當接近於次佳的那個區塊，因此自己「距離百分之五十其實不太遠」，意思就是說同儕對他的觀感並不壞。

「我很高興我們有這份圖表，」我對他說：「因爲我認爲我必須給你一些明確的資訊。你不只是歸屬在最差的百分之二十五當中，在全班的五十個學生裡，你的同儕把你評爲最後一名，你是第五十名，你的問題很嚴重。他們說你不肯聆聽別人的意見，你很難相處，這實在很糟糕。」

那個學生一臉震驚（每個人得知回饋結果的時候總是如此）。他爲自己找了許多合理化的解

釋，結果我卻毫不留情地把資料攤在他面前。

接著，我把自己以前的狀況告訴他。

「我以前也和你一樣，」我說：「我不願意承認自己的缺點。可是當時有個教授給了我一記當頭棒喝，藉此表示他對我的關心。因此，我現在與眾不同的地方就在於：我願意聆聽別人的意見。」

那個學生睜大了眼睛。「我承認，」我說：「我是個改過歸正的混蛋。所以我有道德上的權威可以對你說，你也可以成爲改過歸正的混蛋。」

在那個學期接下來的時間裡，這個學生節制了自己高傲的表現，他改善了自己的個性。我幫了他一個忙，就像安迪·范丹在多年前幫了我一樣。

25 訓練絕地武士

實現兒時夢想是非常令人興奮的事情，可是隨著年歲慢慢增長，你可能會發現，幫助別人實現夢想其實更加有趣。

一九九三年，我還在維吉尼亞大學教書的時候，一個從畫家轉行爲電腦繪圖專家的二十二歲年輕人，名叫湯米．伯耐特（Tommy Burnett），前來向我的研究團隊應徵一項職務。我聽他談了他的人生和目標之後，他突然說：「喔，我從童年以來就一直有個夢想。」

只要有人在同一句話裡用了「童年」和「夢想」這兩個詞，通常就會引起我的注意。

「你的夢想是什麼呢，湯米？」我問。

「我想要參與下一部《星際大戰》電影的拍攝工作。」他說。

別忘了，這是一九九三年的事。先前的最後一部《星際大戰》電影推出於一九八三年，而且也沒有確切的計畫要再拍續集。我指出了這一點。「擁有這個夢想實在很辛苦，因爲這個夢想不太可能實現，」我對他說：「聽說他們不會再拍《星際大戰》的續集了。」

「不對，」他說：「他們還會再拍。等到他們動工的時候，我一定要參與其中。這是我的計畫。」

第一部《星際大戰》電影於一九七七年推出的時候，湯米才六歲而已。「別的小孩都想當韓．索羅，」他對我說：「可是我不要。我要當幕後人員，製作電影特效，包括那些太空船，那些行星，還有各種機器人。」

他說，他從小就不斷閱讀各種關於《星際大戰》拍攝技術的文章。只要是解說片中的模型製作方式與特效處理方法的書，他都毫不猶豫地買下來。

湯米一面說著，我不禁回想起小時候到迪士尼樂園玩耍的情景，記起我那時多麼希望自己長大之後能夠製作那些遊樂器材。我認爲湯米的夢想不可能實現，但是對他可能還是會有好處，我的手下需要一個像他這樣的夢想家。我自己也有打進國家美式足球聯盟這個不可能實現的夢想，所以我知道他的夢想就算無法實現，對他還是會有幫助。於

是，我請他加入我們的團隊。

湯米絕對會跟你說我是個很強硬的老闆。他現在回想起來，總是說我當初對他非常嚴厲，期望也很高。不過，他也知道我一心爲了他好。他把我比擬爲強悍嚴格的美式足球教練（我猜我是吸收了葛拉翰教練的教導方式）。湯米也說他不只從我這裡學到了虛擬實境的程式技巧，也學到了工作上的同事必須像個大家庭。他記得我曾經對他這麼說：「我知道你很聰明，可是這裡的每個人都很聰明。聰明是不夠的。如果要待在我的研究團隊裡，就必須能夠讓其他人覺得在這裡很快樂。」

結果，湯米正是個富有團隊合作精神的員工。我獲得終身職之後，便帶了湯米，以及團隊裡的其他成員到迪士尼世界去玩一趟，藉此向他們道謝。

我轉調到卡內基美隆大學的時候，研究團隊的所有人都跟我去了，只有湯米沒有。爲什麼呢？因爲他被光影魔幻工業特效公司（即製作人暨導演喬治．盧卡斯的公司）雇用了。值得一提的是，他們雇用他不是因爲他的夢想，而是因爲他的才能。他在我們的研究團隊裡工作的期間，成了大蟒蛇程式語言（Python）的高手。幸運的是，這種語言正是光影魔幻工業特效公司所使用的程式語言。幸運果然是降臨在準備好迎接機會的人身上。

這個故事的結局不難猜測——《星際大戰》後來又拍了三部續集，分別推出於一九九九、二〇〇二，以及二〇〇五這三年，湯米也確實參與了這三部片的拍攝工作。

在《星際大戰二部曲：複製人全面進攻》這部電影當中，湯米擔任技術指導長。片中有一段十五分鐘的戰鬥場面，發生於一顆滿布岩石的紅色星球上，交戰雙方分別爲複製人與機器人。這段場面令人嘆爲觀止，而湯米正是這一幕背後的策畫者。他和他的團隊利用猶他州沙漠的照片，爲這場戰鬥創造了一片虛擬地景。這份工作是不是帥呆了呢？湯米的上班時間竟然都在另一顆星球上度過。

幾年後，他體貼地邀請了我和我的學生參觀他們公司。我的同事唐·馬里奈利（Don Marinelli）創立了每年帶學生到美國西部遊覽的優良傳統，藉此讓他們參觀未來可能就職的娛樂公司及高科技企業。像湯米這樣的人，在學生眼中就像神一樣。他的工作正是他們的夢想。

湯米和我以前教過的三個學生坐在一排椅子上，讓我帶去的學生向他們發問。我當時帶去的這群學生還不太知道該怎麼看待我，我以我慣常的面貌對待他們——態度強硬，期望極高，並且伴隨著若干古怪的做法——但他們還沒到懂得欣賞我的教學方式的階段。這方面學生需要一段時間才能適應，所以在我只教了他們一個學期的情況下，有

些人還頗爲怕我。

他們談著談著，結果討論起踏進電影業有多麼困難。某個學生問起運氣扮演的角色有多大，湯米自願回答這個問題。「確實需要很大的運氣，」他說：「但你們都已經很幸運了。能夠和蘭迪一起工作，並且向他學習，就是一種運氣。要不是蘭迪，我今天也不會在這裡。」

我曾經在無重力狀態下飄浮過，可是我那天更是飄飄然。我非常高興湯米認爲我幫他實現了夢想，但最特別的是，他回報我的方法是協助我現在的學生實現夢想（從而也讓我的教學工作獲得幫助）。結果，我和那班學生的關係從那一刻開始出現了轉變，因爲湯米把實現夢想的火炬傳承了下去。

26 他們大出我意料之外

認識我的人都說我是個效率狂，他們顯然早就認清了我這個人。我向來都寧可同時做兩件有用的事情，能做三件更好。所以，隨著我的教育生涯慢慢進展，我也開始思考這個問題：

既然我能夠一次協助一個學生追求他們兒時的夢想，那我是不是有可能把規模擴大？

我在一九九七年到卡內基美隆大學擔任資訊科學副教授之後，終於找到了我要的那種規模。我的專長是「人機互動」，所以我開設了一門課程，叫做「建構虛擬世界」。

這門課的基本概念，和米奇．魯尼（Mickey Rooney）與茱蒂．嘉蘭（Judy Garland）以熱鬧的歌舞場面娛樂觀眾的做法相去不遠，只是在技術方面與時並進，採用當今的電腦繪圖與立體動畫，並且建構我們所謂的「沉浸式（頭罩式）互動虛擬實境世

界」。

我這門課開放五十名大學生選修，不限科系，結果班上的學生包括了演員、英語系學生、雕塑家、工程師、數學系學生，以及電腦迷。由於卡內基美隆大學的各個科系都相當自主，所以這些學生原本可能永遠都不會有交集。不過，我們卻讓這些孩子成了彼此的合作夥伴，迫使他們合力完成自己無法單獨做到的作業。

每個團隊都由隨機選取的四個人組成，共同從事一項長達兩個星期的作業。我只會對他們說：「建造一個虛擬世界。」然後他們就必須想出東西，寫出程式，展示給班上同學看，接著我會重新分組，於是他們又必須和另外三個不同團員一起從頭來過。

我對他們的虛擬世界只有兩條規則：不能有槍砲射擊的暴力，也不能有色情。我之所以頒布這項命令，主要是因爲這兩種東西在電腦遊戲裡早已屢見不鮮，而我要的則是具有原創性的構想。

你一定不相信有多少十九歲的男孩，一旦排除了色情和暴力，就會變得腦袋空空。不過，我要求他們努力發揮想像力之後，大多數人還是會奮起應戰。實際上，我第一年開課的時候，學生針對第一項作業所提出來的成果令我震驚不已，完全超乎我的想像。

我尤其欣賞的是，就好萊塢的虛擬實境標準而言，他們使用的電腦等級實在非常之低，

卻還是能夠交出如此傑出的成果。

我那個時候擔任教授已經十年了。我剛開設「建構虛擬世界」這門課的時候，原本不知道自己能夠期待些什麼。我向他們指派了第一件作業，結果在兩週後對他們的成果大吃一驚，完全不知道接下來該怎麼做。我毫無頭緒，於是打了一通電話給我的啓蒙老師安迪．范丹。

「安迪，我剛給了我的學生一份兩週的作業，結果他們做出來的成果，就算我當初給了他們一整個學期的時間去做，我也會全部給他們九十分以上的成績。我該怎麼辦？」

安迪想了想，然後說：「好，你可以這麼做。明天你到教室的時候，注視著他們的眼睛，對他們說：『各位，你們做得很好，但我知道你們的能力不只這樣。』」

他的回答讓我摸不著頭腦，可是我還是依循了他的忠告，結果證明這麼做完全正確。他其實是在對我說，我顯然不知道該把標準訂多高，所以如果隨便訂出一個標準，反倒會害了他們。

結果，那班學生的表現愈來愈好，創作出來的成果讓我深受啓發。他們交出來的許多作業都非常傑出，包括讓人身歷其境的湍流泛舟、漫遊威尼斯的浪漫渡船之旅，還有

動作矯捷的忍者。有些學生創造出難以想像的存在主義式世界，裡面還有許多他們小時候夢想過的可愛立體動物。

在分享活動日，我發現教室裡除了原本的五十名學生之外，還有另外五十個我不認識的人，分別爲班上學生的室友、朋友或者父母。我以前從來沒有學生的父母到過課堂上呢！結果，這堂課的規模就此像滾雪球一樣愈滾愈大。到了成果發表會，因爲參加人數太多，上課地點只好改到大禮堂。我們在禮堂裡不排椅子，讓四百多人站著爲自己最喜歡的虛擬實境成果歡呼。卡內基美隆大學校長傑瑞德．柯亨（Jared Cohon）曾對我說，我們的成果發表會就像是俄亥俄州運動比賽前的動員大會，只不過我們的是學術聚會。

在成果發表會上，我總是知道哪些作業會特別突出，我從學生的身體語言就看得出來。一個團隊的成員如果都站在一起，我就知道他們合作得相當愉快，因此他們建構出來的虛擬世界也就非常值得一看。

我最喜歡這門課的地方，就在於團隊合作是學生獲得成功的關鍵要素。這些學生未來會有什麼樣的發展？我不知道。他們能不能實現自己的夢想？對於這個問題，我唯一能夠提出的確切答案就是：「在這門課裡，你絕對不能只靠自己的力量。」

＊＊＊

我們所做的這件事，有沒有可能再更進一步呢？

戲劇教授唐．馬里奈利和我，在校方的祝福下，創立了這個非常瘋狂的東西，稱爲「娛樂科技中心」（The Entertainment Technology Center，網址：www.etc.cmu.edu）。這個名稱至今沒變，但我們喜歡把它叫做「夢想實現工廠」：一套爲期兩年的碩士專班，由藝術家與科技人共同製作遊樂設施、電腦遊戲、電子機器模型，以及他們想像得出來的任何東西。

只要是有點理智的學校，都對這種東西保持距離，但卡內基美隆大學卻明確允許我們打破框架。

我們兩人代表了藝術與科技的結合，也代表了右腦與左腦、戲劇人與電腦人的組合。由於唐和我是完全不同類型的人，所以我們有時候也不免成爲阻礙對方的磚牆。不過，我們總是會找出可行的方法。結果，我們這兩種不同教學方式經常能夠因此去蕪存菁，讓學生得到最佳的收穫（他們也從我們身上學到如何和不同於自己的人合作）。由於這種融合了自由發揮與團隊合作的教學方式，因此娛樂科技中心裡總是充滿了亢奮的

氣氛。企業隨即得知我們這項課程，甚至還提出長達三年的書面預約，要求雇用我們的學生。意思就是說，現在還沒入學的學生，他們就已經打算雇用了。

唐負擔了娛樂科技中心百分之七十的工作，但他的功勞絕對不只百分之七十。他還在澳洲設立了衛星校區，並且計畫在韓國與新加坡陸續設立其他校區。如此一來，世界各地的學生都將能夠實現他們最瘋狂的兒時夢想。我雖然不會認識他們，但這種感覺還是非常棒。

27 應許之地

協助別人實現夢想，可以採取大小不同的規模。可以用一對一的方式，就像我對《星際大戰》迷湯米的做法。你也可以一次協助五十或一百個人，就像我們在「建構虛擬世界」那門課，或者在娛樂科技中心所做的那樣。假如你有遠大的志向，也有足夠的自信，那麼你也可以採取更龐大的規模，協助千百萬人實現夢想。

我希望「愛麗絲」就有這樣的效果。愛麗絲是卡內基美隆大學的軟體教學工具，我正好有幸參與研發。愛麗絲可讓剛入門的電腦學生——包括一般人，不論老少——輕易創造動畫，藉以述說故事、玩互動遊戲，或者製作影片。愛麗絲運用立體繪圖與拖放功能，讓使用者初次接觸程式設計的印象能夠比較有趣，比較不那麼充滿挫折感。卡內基美隆大學開放愛麗絲供大眾免費使用，至今下載人次已超過一百萬，而且未來的使用量預計還會大幅攀升。

在我看來，愛麗絲具有無窮的擴充性。正因如此，我可以想像數以千萬計的孩子使用這套軟體追求自己的夢想。

自從我們在一九九〇年代初期開始研發愛麗絲，我就一直深愛這套軟體利用假動作教導電腦程式設計的方式。還記得先前提過的假動作嗎？就是讓別人以為自己在學某件事物，實際上卻對他們灌輸了其他東西。因此，學生會以為自己使用愛麗絲製作電影或電動玩具，但實際上卻是在學習設計電腦程式。

華德．迪士尼對迪士尼世界的夢想，就是希望這座樂園永遠不會建造完畢。他希望迪士尼世界能夠不斷成長變化，我也一樣，想到我的同事目前正在研發愛麗絲的未來版本，而且成果一定會比我們過去研發的現行版本更好，我就不禁感到興奮。在將來的版本裡，使用者會以為自己在寫電影劇本，可是他們其實在學習爪哇程式語言。此外，多虧我在藝電的好兄弟史提夫．西柏特，我們已經獲得授權使用史上最暢銷的電腦遊戲，可以把《模擬市民》的人物運用在愛麗絲當中。是不是帥呆了？

我知道這項計畫的未來發展完全不必擔心，因為愛麗絲目前的首席設計師是丹尼斯．寇斯格羅夫（Dennis Cosgrove），是我在維吉尼亞大學教過的學生。另外還有凱特琳．克里赫，也是從我的學生變成教授同僚。她曾在愛麗絲研發初期看過這套軟體，當

時她問我：「我知道這樣會讓程式設計變得比較簡單，可是它有趣的地方在哪裡呢？」我說：「我是天生控制欲強烈的男性，所以喜歡看著小小的玩具乒遵照我的命令行動，這樣會讓我覺得很好玩。」

於是，凱特琳開始思索該怎麼把愛麗絲設計得也能讓女孩樂在其中。她認爲故事是吸引女孩注意力的關鍵，因此博士論文就建構了一套系統，叫做「故事版愛麗絲」。

凱特琳（抱歉，我是說克里赫博士）現在已在位於聖路易的華盛頓大學擔任資訊科學教授，她正在研發新的系統，藉以徹底改變年輕女孩初次接觸程式設計的經驗。她證明指出，只要以說故事的方式呈現，女孩就會願意學習撰寫軟體。不僅如此，她們還會深深愛上程式設計。值得一提的是，男孩對這種學習方式也不會感到無聊。所有人都喜歡說故事，這是普天下的人類共有的特質。因此，我認爲凱特琳足以贏得「史上最佳假動作獎」。

在我的最後演講裡，我提到自己現在對摩西的故事已有更深入的了解，也能夠體會他看得到應許之地卻踏不上那塊樂土的感覺。我對愛麗絲未來的發展也有同樣的感受。

我希望利用這場演講呼籲我的同事和學生在我離開之後繼續奮鬥，也希望他們知道我深信他們能夠達到偉大的成就（讀者可以到 www.alice.org 這個網站去查看他們的進

展）。

藉由愛麗絲，數以百萬計的孩子將能夠一面學習困難的程式語言，同時又獲得無與倫比的樂趣，他們將能夠發展出足以協助自己實現夢想的技能。我雖然來日無多，但想到我爲後人留下了愛麗絲這項遺產，就深感欣慰。

所以，我雖然沒有機會踏上應許之地，但也沒有關係，至少我已看到了美麗的遠景。

五

重點是怎麼過你的人生

這一章的標題雖然叫做「重點是怎麼過你的人生」，

但內容談的其實是我怎麼努力過好自己的人生。

我想我是希望藉由這樣的方式告訴讀者：

這些做法對我有效。

——蘭迪·鮑許

28 大膽做夢

人類在一九六九年夏天首次踏上月球，當時我才八歲。我因此知道，世界上沒有什麼不可能做到的事情。那時候就像是全世界的人類都獲得了做大夢的許可。

那年夏天，我正在夏令營裡。登月艇降落之後，我們所有人都被帶到大農舍，觀看一部臨時架設的電視。太空人花了很長的時間準備，然後才爬下階梯，踏上月球表面。我可以體諒，因爲他們必須穿戴許多裝備，注意許多細節。所以我也很有耐心地等待著。

不過，夏令營主辦單位的人員卻不斷看錶，當時已經超過晚上十一點。於是，就在月球上的太空人正做著各種明智決定的同時，地球上的夏令營工作人員卻做了一項愚蠢的決定。時間已經太晚了，所以孩子們都被送回各自的帳篷去睡覺。

我對主辦單位的做法只覺得一肚子火。我心裡想著：「人類第一次離開地球，降落

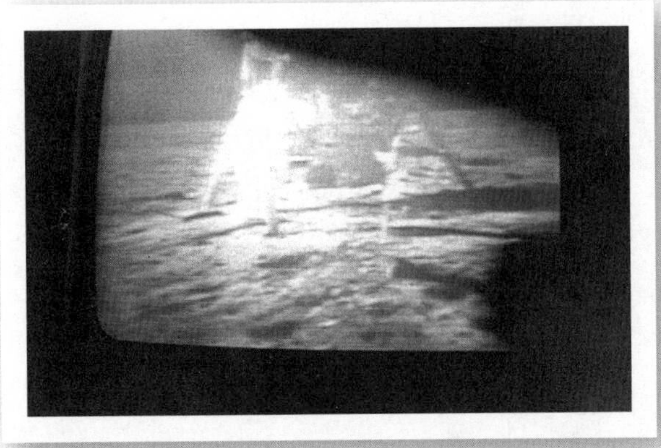

我們家電視上的月球降落畫面，由我父親提供。

在一個新世界上，結果你們這些傢伙竟然覺得睡覺時間比較重要？」

不過，我在幾個星期後回到家裡，卻發現我爸爸把阿姆斯壯踏上月球的那一幕從電視上拍了下來。他幫我保存了那一刻，因爲他也知道這一幕能夠啓發遠大的夢想。我們至今還把這張照片保留在剪貼簿裡。

我可以了解爲什麼有些人認爲，與其花數十億美元把太空人送上月球，還不如把這些錢拿來對抗地球上的貧窮與飢餓。但我畢竟是科學家，我認爲激勵人心是促成善行的最佳工具。

把錢拿去消除貧窮，當然很有價值，但這麼做通常成效有限。至於把太空人送上月球，則可激勵所有人徹底發揮自己的潛力。

如此一來，人類的各種重大問題才有可能獲得解決。

大膽做夢吧。也別忘了激勵你孩子的夢想。爲了做到這一點，偶爾調整上床時間絕對值得。

29 與其新潮時髦，不如平實認眞

如果要我在平實認眞與新潮時髦之間做出選擇，我一定會選擇平實認眞，因爲新潮時髦只是短暫的，平實認眞卻是長久的。

平實認眞經常遭到低估，因爲這是一種發自內心的特質；新潮時髦則是以外表吸引別人注意。

「新潮時髦」的人總是喜愛開玩笑，可是世界上沒有所謂永恆的玩笑吧，是不是？我比較敬重平實認眞的人，因爲他們的成就能夠流傳後世。新潮時髦的人則只會拿著他

我的衣著至今沒變。

們的成就開玩笑。

我只要想到平實認眞的人，就會想到經由努力而從初級晉升到鷹級的童軍成員。我每次和應徵者面談的時候，只要發現對方曾經是鷹級童軍，就會盡量設法雇用他。一個人能夠不顧表面上的時髦，而追求成爲鷹級童軍，一定在相當程度上具有平實認眞的特質。

想想看，你在十四歲做過的事情，大概只有成爲鷹級童軍這一項能夠在你五十歲的時候還可以寫在履歷裡，而且還能讓別人對你刮目相看（我自己雖然也努力過，卻從來沒升上鷹級童軍）。

順帶一提，時尚就是戴上時髦面具的商業活動。我對時尚一點都不感興趣，所

以很少買新衣服。只因爲某個地方的少數幾個人認爲哪些衣服具有賣點，就可以決定時尙的潮流，這種現象在我看來實在是匪夷所思。

我爸媽是這麼教我的：舊衣服穿破了，才買新衣服。你只要看過我在最後演講上穿的衣服，就知道我的確奉行他們的教誨！

我的衣著一點都不時髦，可以算是頗爲平實，這樣的衣服就夠我穿了。

30 舉白旗

我媽總是叫我「蘭道夫」（Randolph）。

她生長在維吉尼亞州一座小小的乳品牧場上，成長期間正逢經濟大蕭條，過著有一餐沒一餐的生活。她爲我挑了「蘭道夫」這個名字，因爲她覺得體面的維吉尼亞人就該叫這樣的名字。這也可能正是我爲什麼這麼排斥這個名字的原因，誰要這種名字啊？

媽媽和我，在沙灘上。

然而，我媽卻從不放棄。我在青少年的時候向她提出質疑：「妳眞的認爲妳爲我命名的權利，凌駕於我擁有自我認同的權利嗎？」

「是的，蘭道夫，我確實這麼認爲。」她說。

好吧，至少我們知道彼此的立場了！

我上大學之後，終於覺得受夠了。她寄信給我，收件人總是寫著「蘭道夫·鮑許」。我於是在信封上寫上「查無此人」，把信原封不動地退回去。

後來，我媽終於妥協，改而把收件人姓名寫爲「R·鮑許」。這麼一來，我就會收下信件。不過，她在電話上還是會恢復以往的習慣：「蘭道夫，你收到了我寄

的信嗎？」

現在，經過這麼多年後，我已經投降了。我對我媽媽的許多面向都極爲欣賞，所以她如果一定要這麼叫我，我也樂意忍受。人生苦短哪。

隨著時間飛逝，以及人生所設下的壽命期限，投降成了一項正確的決定。

31 訂立協議

我在研究所的時候養成了邊吃飯邊把椅子往後傾的習慣。我每次回我父母家的時候就會這麼做，我媽媽也總是會罵我：「蘭道夫，這樣椅子會壞掉！」

我喜歡把椅子後傾，這樣坐起來很舒服，而且椅子用兩隻腳支撐也沒什麼問題。所以，每次吃飯，我還是會把椅子後傾，然後媽媽就會罵我。

有一天，我媽對我說：「別再把椅子腳翹起來了，我不會再跟你說第二次！」

聽到這句話，我倒是覺得可以藉此達成協議。我於是提議簽個合約，訂立一份親子協定。如果椅子眞的被我弄壞，那麼我不但得出錢買新的椅子，而且爲了讓她願意忍受我的行爲，還必須把整套餐桌椅都換新（我們的餐桌椅已經用了二十年，所以也不可能單換一張椅子）。但只要椅子沒壞，我媽就不能唸我。

我母親的說法當然是對的，椅子後傾會導致椅腳承受過度的壓力。不過，我們兩人都認爲這項協議能夠避免爭執。我爲自己可能造成的損害負起了責任，而且椅腳一旦斷裂，她也可以對我說：「聽媽媽的話準沒錯。」

那張椅子至今還沒壞。每當我回她家，把椅子後傾，我們的協議還是一樣有效。她不會爲此發牢騷。實際上，我們的互動方式也完全改變了。我不會說我媽刻意鼓勵我把椅子後傾，但我確實認爲她早就相中了想買的餐桌組。

32 別抱怨，再努力一點就好

有太多人都經常抱怨自己人生中的各種問題。我向來認爲，你如果願意把抱怨的力氣拿出十分之一用在解決問題上，一定不免大吃一驚，發現事情原來沒有你想像的那麼糟。

我這一生中認識了幾個從不抱怨的傑出人士。其中一位是桑迪．布拉特（Sandy Blatt），他是我讀研究所期間的房東。他年輕的時候，有一次正在把一輛卡車上的箱子搬進地下室，結果那輛卡車突然倒車，害得他從樓梯上倒栽而下，跌進了地下室裡。「那段樓梯有多高？」我問。他的回答很簡單：「夠高了。」他因爲這場意外而四肢癱瘓。

桑迪原本是非常傑出的運動員，意外發生的時候正準備結婚。他不想成爲未婚妻的負擔，於是對她說：「這不是我們當初決定結婚的條件，妳如果想要退出，我可以理

解，妳不必覺得內疚。」她也的確退出了。

我在桑迪三十幾歲的時候認識了他，他的態度讓我欽佩不已，他全身散發著一道絕不埋怨的光環。他非常努力，拿到了婚姻顧問的執照，而且也結了婚，收養了小孩。他談到自己的醫療問題，總是就事論事，完全沒有自怨自艾的意味。他曾告訴過我，溫度變化對四肢癱瘓的病患非常痛苦，因爲他們沒辦法發抖。「請你把毯子拿給我好嗎，蘭迪？」他接著說。而他說的也就只有這樣而已。

在從不抱怨的人士當中，我最喜歡的一位應該要算是傑基．羅賓森（Jackie Robinson），也就是第一位登上職棒大聯盟的非裔美國人。他當時忍受的種族歧視現象，今天許多年輕人根本連想都想不到。他知道自己必須拿出比白人球員更優秀的表現，也知道自己必須比別人更努力。他確實做到了這一點。他立誓絕不埋怨，就算球迷對他吐口水也一樣。

我以前在辦公室裡掛著一幅傑基．羅賓森的照片。看到那麼多學生不認識他，或是對他所知極少，我就不禁感到難過。許多學生甚至根本沒有注意到那幅照片，在彩色電視的時代裡長大的年輕人，都不會特別注意黑白圖像。

眞可惜，世界上再沒有比傑基．羅賓森或桑迪．布拉特更好的模範了。他們的人生

故事傳達給我們的訊息是：埋怨不是可行的策略。所有人的時間與精力都有限，把時間花在抱怨上，並無助於我們達成目標，而且，抱怨也不會讓人比較快樂。

33 解決問題要從根本著手

多年前，我和一個美麗的年輕女孩交往過。她背有幾千美元的債務，覺得壓力非常沉重，因爲利息每個月都會增加。

爲了紓解壓力，她每週二晚上都會上一堂冥想瑜伽的課。那是她一週裡唯一有空的一個晚上，她說上那堂課對她似乎有幫助。她會深吸一口氣，想像自己正在找尋方法解決債務，接著又會呼一口氣，告訴自己這項債務問題總有一天會解決。

她就這麼過了一週又一週。

後來有一天，我終於陪她檢視了她的財務狀況。檢視過之後，我發現她只要每週二

晚上兼職一份工作，四、五個月後就可以把債務還完。

我說我對瑜伽或冥想沒有偏見，但我認爲解決問題應該從根本著手。她的症狀是壓力和焦慮，但造成這些症狀的病根則是她欠的那筆錢。

「妳怎麼不在週二晚上找一份工作，暫時別去上瑜伽課？」我向她提議。

這句話令她茅塞頓開，而採用了我的建議。她在週二晚上找了一份服務生的工作，不久就把債務還完了。在那之後，她自然可以回去上瑜伽課，眞的好好放鬆呼吸。

34 不要太在乎別人的想法

我發現有很多人都會花許多時間煩惱別人對自己的看法，如果大家都不擔心別人心裡在想些什麼，我們每個人在生活中和工作上的效率都可以提升百分之三十三。

我是怎麼提出百分之三十三這個數字的？我是科學家，我喜歡確切的數字，只是有

時候也不一定能夠提出證明。總之，就暫且假設是百分之三十三吧。

我常對我研究團隊的成員說：「你永遠不必擔心我在想些什麼。不論好壞，我都一定會讓你知道我的想法。」

意思就是說，我只要看到不滿意的事情，就會直接提出來，而且有時候可能會不夠委婉。不過，就正面而言，這麼做卻能夠讓別人感到安心：「我如果沒說話，你就不必擔心。」

我的學生和同事後來都體會到這種做法的好處，於是也就不必再花時間猜測：「蘭迪在想些什麼？」因爲我平常主要在想的就是：我團隊裡的成員比別人的效率高出百分之三十三。這就是我腦子裡的想法。

35 從坐在一起開始

每當我在工作上需要和別人合作，我就會想像我們坐在一起，桌上擺著一疊紙牌。我的本能反應總是把手上所有的牌攤開在桌上，然後向所有團隊成員說：「好，我們可以怎麼打這手牌？」

能夠在團隊中與人合作愉快，是在職場與家庭裡都非常關鍵也絕對必要的技能。爲了教導學生這一點，我總是會讓他們組成團隊，一起做作業。

多年來，改善團隊的合作狀況已經成了我的一項執迷。在每個學期的第一天，我都會把全班學生以四人一組分成十幾組，接著在第二天上課發給他們一張我自己寫的講義，標題爲「團隊合作的訣竅」。我會帶著他們一一看過講義上的每一項重點。有些學生覺得我的訣竅太低估了他們的智慧，不免露出不屑一顧的神情。他們認爲自己早就懂得怎麼和別人合作——這種東西在幼稚園就已經學過了。他們不需要我這些粗淺的建議。

不過，大多數具有自知之明的學生都會用心吸收我的忠告。他們察覺到我要讓他們從基礎學起，就像葛拉翰教練當初要求我們不拿球練習一樣。我的訣竅包括以下幾點：

以得體的方式與別人認識：一切都始於自我介紹。互相交換聯絡資訊，確認自己知道每個人姓名的正確發音。

找出共通之處：你總是能夠在別人身上找到和自己相同的地方。一旦找到了共同點，就比較容易針對你們意見不同的議題進行討論。體育是沒有種族與財富隔閡的話題。就算什麼都找不到，至少也有天氣可以談。

盡量在最舒適的狀況下會面：確保沒有人處在飢餓、寒冷或者疲累的狀態下。如果可以的話，就相約一同進餐吧，一面吃東西能夠讓會面的氣氛比較和緩。這就是爲什麼好萊塢的電影人常有「午餐會」。

讓別人把話說完：不要打斷別人的話。說話比較大聲或者比較快，不表示你的意見就比較好。

不要把自尊自大的心態帶到會議上：討論意見的時候，把每一項意見加上標題，然後寫下來。標題應該描述意見內容，而不是標示提出意見的人：例如「橋梁的概念」，而不是「珍提出的概念」。

互相讚美：稱讚別人意見裡的優點，就算有點勉強也沒關係。即便是最爛的意見，只要認眞檢視，也還是找得到可取之處。

以問句的方式提出不同選項：與其說「我認爲我們應該採取A方案，而不是B方案」，不如說「我們如果不用B方案而改採A方案，會不會比較好？」這樣的說法能夠

促使別人提出意見，而不是忙著捍衛被你推翻的選項。

在課堂的最後，我會對學生說我有一種比較簡單的點名方式。「我如果直接點名各組，會比較方便，」我說：「第一組請舉手……第二組？……」

隨著我喊出每一組，該組的學生就會舉起手來。「有人注意到一件事嗎？」我問。學生面面相覷。於是，我又再次點名。「第一組？……第二組？……第三組？……」各組的學生又都分別舉起手來。

有時候，你必須用比較戲劇化的手段，才能讓學生恍然大悟。如果是他們自以爲懂的東西，就更需要如此。所以，我也就只好採取這樣的做法：

我一次又一次地點名，最後終於提高了嗓音。「你們怎麼還和自己的朋友坐在一起呢？」我大聲問他們：「怎麼不和自己同組的人坐在一起？」

有些人知道我的惱怒是爲了製造效果，但大多數人都以爲我是認眞的。「我現在要離開教室，」我說：「六十秒後再回來。等我回來的時候，我要看到所有人都和自己的組員坐在一起！懂嗎？」我踏著輕快的步伐走出教室，然後就會聽到教室裡一陣騷動，因爲大家都忙著抓起背包，重新按照組別坐在一起。

我回到教室之後，就會向他們解釋，我之所以提出這些團隊合作的訣竅，不是因爲我瞧不起他們的智商或成熟度，只是想讓他們了解到自己忽略了一件簡單的事情——也就是自己應該和同組的夥伴坐在一起——藉此讓他們了解，從基礎打起對他們來說絕對有好處。

到了下一堂課，還有接下來的整個學期，我的學生（沒有笨蛋）就都一定會和同組的成員坐在一起。

36 找出每個人最好的一面

這項美妙的忠告，是我從強恩．史諾第那裡得來的，他是我在迪士尼夢想工程公司的偶像。我非常喜歡他提出這項概念的說法。「只要你等得夠久，」他說：「別人就會出乎你的意料，讓你刮目相看。」

他認爲，你一旦對別人感到挫折，或是感到生氣，很可能只是因爲你還沒有給他們足夠的時間。

強恩告誡我，這點有時候需要極大的耐心，甚至可能需要等上好幾年。「不過，到了最後，」他說：「別人一定會展現出他們傑出的一面。幾乎所有人都有傑出的一面，慢慢等，總有一天會展現出來。」

37 注意他們的行爲，別管他們說的話

我的女兒才十八個月大，所以我現在沒辦法告訴她這件事。不過，等克蘿怡長大之後，我希望她能夠知道這一點。這是我一個女性同事給我的忠告，我覺得對天下所有的年輕女孩都非常受用。實際上，嚴格比較起來，我認爲這是我這輩子聽過最好的忠告。

我的同事說：「我花了很長的時間，但總算想通了。男人如果對妳有意思，其實很

簡單。完全不要管他們說什麼，只要注意他們的行爲就好了。」

就這樣。這就是我要轉達給克蘿怡的忠告。

再想一想，這項忠告對狄倫和羅根應該也會很有用。

38 一開始如果不成功……

……那麼就試試看老掉牙的做法吧。

我喜歡陳腔濫調，至少是大多數的陳腔濫調。我一向非常重視老生常談，在我看來，陳腔濫調之所以成爲陳腔濫調，原因就是這種做法確實切合需求。

教育工作者不必怕陳腔濫調。你知道爲什麼嗎？因爲孩子們常常根本不知道有這些陳腔濫調。他們是新一代的聽眾，陳腔濫調對他們反而深具啓發性。我在教室裡早已多次目睹這種現象：

誰帶你去舞會，就和誰跳舞。這是我父母常告誡我的陳腔濫調，而且這句忠告的適用範圍絕不只限於畢業舞會。不論在商場上、學術界，還是在家庭裡，我們都應該遵循這項原則。這句忠告提醒了我們忠誠與感恩的重要性。

幸運總是降臨在準備好迎接機會的人身上。這句話來自塞內加，也就是生於西元前五年的那位羅馬哲學家。這句話至少在未來兩千年內，仍然會是值得我們參考的金玉良言。

不論你認為自己做得到或做不到，你的想法都沒錯。這是我對新進學生必談的陳腔濫調。

「除此之外，林肯夫人，那齣戲好不好看？」（譯註：這句話指涉的背景是林肯總統在福特戲院遭到刺殺的事件。如果有人在林肯遭刺之後還問他夫人當晚那齣戲好不好看，未免也就太不懂得輕重緩急，而這也正是這句諺語的意思。）我常會用這句話提醒學生，要求他們別把注意力放在不重要的小事上，而忽略了眞正重要的問題。

我也非常喜歡流行文化的各種陳腔濫調。我不介意孩子看《超人》，不是因爲他又強壯又會飛，而是因爲他爲「眞理、正義與美國精神」而奮戰。我超愛這句對白。

我喜歡《洛基》這部電影，甚至也很喜歡這部片的主題曲。我最喜歡《洛基》第一集的地方，就是主角完全不在乎自己是否打得贏最後的大賽，他只希望自己不被擊倒，這就是他的目標。在我癌症治療過程中最痛苦的時刻，洛基一直是激勵我撐下去的力量。因為他提醒了我：重點不是你出擊的力道有多大，而是你能夠承受多麼重的打擊，然後還能繼續向前邁進。

當然，在世界上所有的陳腔濫調當中，我最喜歡的還是美式足球運動當中的陳腔濫調。同事都習於看到我在卡內基美隆大學的走廊上拋接橄欖球，這麼做有助於我思考，他們也許會說，美式足球的隱喻也有同樣的效果。不過，我有些學生卻無法適應我這種行為，而且這樣的學生男女都有。我可能會在他們討論電腦運算問題的時候提到美式足球。「不好意思，」我總會對他們說：「可是你們很快就能夠學會足球的基本知識，而我卻很難找出另一套能夠用來比喻人生的老生常談。」

我希望我的學生能夠奮力求勝，依計行事，勇往直前，朝目標推進，避免代價昂貴的失誤，不怕累，不怕痛，只求達陣得分。我的學生都知道：重點不只在於輸贏，還在於你怎麼運用陳腔濫調。

39 別怕當第一隻企鵝

你如果沒有得到你想要的東西，至少得到了經驗。

這是我利用特休到藝電公司工作的時候學到的一句話。這句話深深印在我腦海裡，於是我也一再對學生重複這句話。

每當我們遇到障礙，或是碰到挫折的時候，就應該要記得這句話。這句話也提醒了我們，失敗不但是可以接受的，而且經常還是人生不可或缺的要素。

我教「建構虛擬世界」這門課的時候，總是鼓勵學生嘗試困難的挑戰，不要害怕失敗。我希望獎勵這種思考方式，所以在學期的尾聲，都會送一隻企鵝玩偶給一組學生，這個獎叫做「第一隻企鵝獎」。只要哪個團隊最大膽嘗試新構想或新科技，結果沒有達成目標，就可以獲得這個獎。基本上，這個獎項就是要鼓勵「光榮的失敗」，推崇打破框架的思考，以及天馬行空的想像。

其他學生慢慢了解到：「第一隻企鵝」的得獎者雖然沒有達成目標，卻也獲致了重要的成就。

這個獎項的名稱取自企鵝的行爲。企鵝如果要跳進可能有危險的水域裡，總是得有一隻企鵝帶頭跳下去。我原本把這個獎項取名爲「最佳失敗獎」，但是失敗一詞的負面意義太強烈，以致學生常常無法跳脫這個詞所造成的印象。

多年來，我也不斷告訴學生，娛樂業界裡有不可計數的失敗產品。娛樂產品不像房屋，只要蓋起來就可以給人住。電動玩具有可能在出現構想之後，卻無法通過研發的關卡；也可能推出上市了，卻沒有人要買。沒錯，大家都非常重視曾經大獲成功的遊戲製作者，但曾經推出失敗產品的創作者也一樣深受重視——有時候受重視的程度甚至可能比前者有過之而無不及。

新創公司通常喜歡雇用曾有創業失敗經驗的執行長。失敗過的人知道該怎麼避免失敗，只有成功經驗的人，反倒可能看不出陷阱在哪裡。

你如果沒有得到你想要的東西，至少得到了經驗，而經驗通常是你能夠提供給別人最珍貴的東西。

40 引起別人的注意

我有許多學生都絕頂聰明。我知道他們日後進入職場，一定會設計出非常棒的軟體、動畫，或者娛樂設備。我也知道他們設計出來的東西有可能讓許許多多的人深感挫折。

工程師和電腦科學家設計東西的時候，不一定都會想到怎麼讓使用者易於上手。我們常常不懂得怎麼用簡單的方法解說複雜的事物。你有看過錄放影機的使用說明書嗎？如果有的話，應該就能了解我說的挫折感是怎麼一回事了。

所以我才會一直希望灌輸學生重視使用者的觀念。我該怎麼讓他們了解，製作出不會讓人感到挫折的科技產品，其實是非常重要的事情？結果，我想出了一個絕對能夠引起他們注意的方法。

我在維吉尼亞大學教過一門「使用者介面」的課，每次開新班的第一天，我都會帶

一部功能正常的錄放影機到課堂上。我會把機器放在講台上，然後拿出一根鐵鎚，當場砸毀那部機器。

接著，我會說：「我們一旦做出難用的東西，使用者就會感到惱怒，他們會氣得想把東西給砸毀，我們可不希望自己製作出來的東西會讓別人恨不得砸毀。」

這麼做能夠完全抓住學生的注意力。我看得出他們對我的舉動感到震驚、困惑，但也有點莞爾。這樣的舉動對他們來說非常刺激，他們心裡想著：「我不知道這個傢伙是誰，可是我明天一定要來上課，看看他還會表演什麼特技。」

我確實抓住了他們的注意力。要解決一項遭人忽略的問題，第一步常常就是必須先引起別人的注意（我為了轉調卡內基美隆而離開維吉尼亞大學的時候，我的同事好友蓋伯・羅賓斯〔Gabe Robins〕送了我一根鐵鎚，上面掛著一塊小匾額，寫著：「還有那麼多錄放影機要摧毀，時間實在不夠用啊！」）。

我當初在維吉尼亞大學教過的學生，現在都已經進入職場。在他們創造新的科技產品的時候，我希望他們偶爾會想起我揮動那根鐵鎚的景象，從而注意到大眾對產品容易上手的需求。

41 重拾感謝卡的優良傳統

表達感激之意，是人際互動中最簡單的一種行爲，效果卻也最爲強大。儘管我深深重視效率，但我認爲寄送感謝卡還是以傳統的方法最好，也就是親筆撰寫卡片。

不論是職場上的面試官，還是學校裡的招生人員，都見過許許多多的應徵者或申請人，也看過許多學經歷洋洋灑灑的履歷表，但他們卻很少接到手寫的感謝卡。

你的成績如果只有八十五分，那麼親手寫一張感謝卡，至少能夠把面試官對你的印象提升到九十分。而且，由於手寫卡片已經極爲罕見，因此他們一定會記得你。

我向我的學生提出這項忠告，用意並不是要他們學會耍心機，儘管我知道有些人不免會以這種扭曲的態度看待這回事。我的目的是希望他們體認到，人生中有些尊重別人的體貼舉動，可以讓收受者覺得感動，從而產生好的結果。

舉例而言，曾經有個女學生向娛樂科技中心提出入學申請，但我們已經打算把她刷

掉。她的夢想非常遠大，想要成爲迪士尼夢想師。她的成績、考試結果，以及作品集都不錯，但以娛樂科技中心的標準來說卻還不夠好。在我們把她的文件丟進不錄取的那堆檔案之前，我決定再翻看一遍。結果，我發現其中一份文件裡夾著一張感謝卡。

那張卡片不是寫給我，也不是寫給副主任唐．馬里奈利，或者任何一位教師，而是寫給一名先前幫她安排參觀事宜的學校職員。這名職員對她的入學審查毫無影響力，所以這張卡片顯然沒有拍馬屁的意味。她只是寫了幾句話，向曾經幫過她忙的人表示感謝，結果對方在她不知情的狀況下把這張卡片夾進了她的申請文件中。過了幾個星期後，我剛好看到這張卡片。

無意間發現她這樣誠心感謝別人，我不禁開始思索她這項舉動。她這張感謝卡是手寫的，我喜歡這種做法。「這張卡片比她申請文件裡的其他東西更能夠讓我了解她的爲人。」我對唐說。我又把她的文件看過一次，思考著她這個人。由於我對那張卡片的印象非常深刻，因此認爲她值得我們冒個險，可以錄取進來試試看。唐同意了我的決定。

她獲得娛樂科技中心的錄取，後來也取得碩士學位，現在已經當上迪士尼夢想師了。

我向她說過這段經過，她現在也把這件事告訴別人。

儘管我現在的生活非常忙碌，而且還必須接受各種治療，但只要有必要，我還是會盡量親手寫卡片。這是一種體貼的行爲，而且你也永遠不會知道這樣的卡片寄出去之後，會產生什麼奇妙的後果。

42 忠誠是雙向的

一九九〇年代初期，丹尼斯．寇斯格羅夫還是我在維吉尼亞大學教導的學生，當時我就覺得他非常突出。他在我的電腦實驗室裡表現極爲優秀，還是作業系統課程的助教，也修了研究所的課，而且成績都拿九十分。

好吧，他在大多數的科目中都拿了九十分以上，可是微積分（三）這門課的成績卻不及格。並不是說他的微積分能力不好，而是他全副心思都放在電腦課程上，其他時間又都投注在擔任助教，以及擔任我實驗室的研究助理，以致微積分連課都沒去上。

結果，這卻引起了一項嚴重的問題，因爲他已經不是第一次在各科都高分的情況下出現一個不及格的成績。

在新學期剛開始兩個星期後，丹尼斯的成績突然引起了某一位學校長官的注意。他看過丹尼斯的學術性向測驗與大學先修課程的成績，所以知道丹尼斯有多麼聰明。在他看來，丹尼斯拿到不及格的成績完全是態度問題，不是能力問題，於是打算把丹尼斯退學。不過，我知道丹尼斯從來不曾爲此收到任何警告。實際上，把他其他科目的優異成績拿來彌補那些不及格的科目也綽綽有餘，所以根本不可能以成績爲由將他退學。不過，那名長官卻援引了一項少有人知的規定，使得學校有權把丹尼斯退學。我決定捍衛我學生的權益。「聽好，」我向那個長官說：「丹尼斯就像是一枚爆發力很強的火箭，只是沒有穩定翼而已。他在我的實驗室裡表現非常傑出，我們如果現在把他踢出學校，就喪失了我們從事這項工作的意義。我們在這裡是爲了教導學生、培育學生。我知道丹尼斯有很特別的能力，我們不能就這樣拋棄他。」

那個長官對我很不高興。在他眼中，我只是個自以爲是的年輕教授。

不過，我接著卻又更加強硬，並且採取有策略的攻勢。新學期已經開始了，學校已經收了丹尼斯的學費。在我看來，這樣的舉動就表示我們歡迎他繼續在這所學校就讀。

我們如果在學期開始前把他退學，他還可以向其他學校申請入學，可是現在已經太遲了。

我問了那個長官：「他如果去雇了個律師來告我們怎麼辦？我可能會爲他作證喔。你難道希望你手下的教員做出對學校不利的證詞嗎？」

那個長官嚇了一大跳。「你是資淺教授，」他說：「你連終身職都還沒拿到，爲什麼要爲這個學生賭上自己的前途？」

「我告訴你爲什麼，」我說：「我願意爲丹尼斯做擔保，因爲我對他有信心。」

那個長官意味深長地看了我一眼。「到時候要審議你的終身職，我一定會記得這件事。」他說。換句話說，丹尼斯要是再搞砸了的話，我的判斷力就會受到強烈質疑。

「就這麼說定了。」我對他說。於是，丹尼斯總算得以繼續待在學校。

最後他過了微積分（三），使我們大家都引以爲榮；畢業後更成爲資訊科學界裡頻頻獲獎的明星。自此之後，他在我的人生與實驗室裡就一直都是不可或缺的一員。實際上，他是愛麗絲計畫的初期創始人之一。身爲程式設計師的他，在軟體方面做出了許多開創性的成就，使得虛擬實境系統更容易讓年輕人入門。

我在丹尼斯二十一歲的時候爲他挺身而出。現在，則是三十七歲的他爲我挺身而

出。我已經把愛麗絲交到他手上，由他以研究科學家的身分負責設計，以及執行我在職業生涯上留下來的這項遺產。

我當初在丹尼斯有需要的時候，幫助了他實現夢想……現在，在我有需要的時候，他也回過頭來幫助我。

43 週五晚上的解決方案

我比一般人提早一年取得終身職，其他資淺教授對這點似乎覺得很了不起。

「哇，你提早拿到終身職呢，」他們總會這麼對我說：「你有什麼祕訣？」

我說：「其實很簡單。隨便一個週五晚上十點打電話到我辦公室，我就把我的祕訣告訴你。」（當然，那時候我還沒有成家。）

很多人都想找捷徑，我卻發現最快的捷徑就是繞遠路，歸根究柢就是四個字：認眞

努力。在我看來，你如果比別人花更多時間工作，那麼你在多做的這些時間裡就會對自己的工作更加精通。這麼一來，你就可能變得更有效率、更有能力，甚至更快樂。付出努力就像是銀行的複利，你獲得的獎賞會累積得很快。

工作以外的人生也是如此。我自從成年以來，就一直很喜歡向結婚許久的夫婦詢問他們維繫婚姻的方法。他們的回答全都一樣：「我們很努力。」

44 表達感激

我在維吉尼亞大學取得終身職之後不久，就帶著我那十五人的研究團隊到迪士尼世界玩了一個星期，藉此向他們表示感謝。

一個教授同僚把我拉到一旁，說：「蘭迪，你怎麼可以這麼做？」也許他認爲我爲其他即將取得終身職的教授立下了一項他們不願意遵循的先例。

「我怎麼可以這麼做？」我答道：「這些人做得要死要活，讓我得以一輩子享有這項全世界最棒的工作。我怎麼可以不這麼做？」

於是，我們十六個人搭乘一輛廂型車到了佛羅里達州。我們玩得非常開心，而且我也讓大家在玩樂之餘獲得了一點學習。在前往迪士尼世界的途中，我們順道參觀了幾所大學，還拜訪了電腦研究團體。

以這趟旅程表達感激其實相當容易。這是一項實質的禮物，而且非常理想，因爲這是一項能夠讓我和自己關懷的人一起分享的經驗。

不過，不是每個人都這麼容易答謝。

我人生中對我幫助最大的一位導師，就是我就讀布朗大學時候的資訊科學教授安迪·范丹。他向我提供充滿智慧的忠告，改變了我的一生。我永遠無法報答他的恩情，所以只能把他對我的幫助傳承給別人。

我總是喜歡對學生說：「你接受了別人什麼樣的恩惠，就把同樣的恩惠散播給其他人。」搭車前往迪士尼世界，和我的學生談論他們的夢想與目標，就是我試圖把自己受到的恩惠散播出去的做法。

45 分送薄荷餅乾

我身為教授的其中一項職務是擔任學術審查人，意思就是說我必須請其他教授閱讀冗長艱澀的論文，然後給予評語。這種工作有可能非常沉悶，令人昏昏欲睡。所以，我想出了一個主意。我把論文寄給審閱人的時候，都會附上一盒女童軍薄荷餅乾。「感謝你同意接下這份工作，」我會這麼寫：「附上一盒薄荷餅乾以為獎勵，但請先把論文審閱完畢之後才能吃喔。」

這麼做總是能夠讓人莞爾一笑，我從來不必打電話催促他們，他們桌上擺著那盒薄荷餅乾，所以他們自己知道該怎麼做。

當然，我偶爾也必須寄一封電子郵件提醒對方。可是我在信件裡只需要寫一句話：「請問你吃了薄荷餅乾了嗎？」

我發現薄荷餅乾是一種絕佳的溝通工具，也是答謝別人完成工作的甜蜜報償。

46 你唯一能夠仰賴的，就是帶在身上的東西

我總是覺得有必要爲自己可能面臨的狀況預做準備。我出門該帶些什麼？我教課的時候，該預期哪些問題？我幫我家人未來沒有我的生活預做準備，應該備妥哪些文件？

我媽記得在我七歲的時候帶我去一家超市的往事。她和我走到了收銀台，才想起還有幾樣要買的東西沒拿到。她於是把推車先交給我，隨即跑去拿她要的東西。

「我馬上回來。」她說。

她只去了幾分鐘，可是我在這段時間裡就把所有物品都放上了輸送帶，而且收銀員也一一掃描了條碼。於是，我只好站在那裡和她大眼瞪小眼。這時候，那位小姐決定開個玩笑。「你有錢可以給我嗎，孩子？」她說：「我要收錢才能把東西給你唷。」

我當時不知道她只是在逗著我玩，只能又尷尬又難堪地站在那裡。

等到我媽媽回來的時候，我已經累積了一肚子的怒氣。「妳沒給我錢就把我丟在這

裡！這個阿姨跟我要錢，可是我根本沒有錢可以給她！」

現在我已經長大成人，我皮夾裡一定隨時都會帶著兩百美元以上的現金。我要事先做好準備，以免遇到需要用錢的時候措手不及。當然，我有可能丟掉錢包，裡面的錢也可能被偷。可是對一個生活還過得去的人來說，丟掉兩百元的風險至少還承擔得起。相對之下，需要用錢的時候手上沒有現金，才是更糟糕的問題。

我向來佩服過度準備的人。大學的時候，我有一個同學，名叫諾曼·梅洛維茲（Norman Meyrowitz）。有一天，他利用吊頂式投影機發表報告，但報告只發表了一半，投影機的燈泡卻突然燒壞了。台下的聽眾發出了嘆息聲，因爲要找另一部投影機，至少得等上十分鐘。

「沒關係，」諾曼說：「大家不用擔心。」

我們看著他走到自己的背包前面，拿出了一樣東西。他竟然帶了一顆投影機的備用燈泡。誰會想到要準備這種東西？

我們的教授安迪·范丹剛好坐在我旁邊。他靠到我身旁對我說：「這傢伙前途不可限量。」他說得一點不錯。諾曼後來當上馬克麥迪亞公司（Macromedia Inc.）的高階主管，今天的網路使用者幾乎可以說沒有人不受他的工作成果所影響。

另一種預做準備的方式，則是負面思考。

沒錯，我是個樂觀主義者，但我在做決定的時候，通常會設想最糟糕的狀況，我稱之爲「被狼吃掉的因素」。我如果做出某件事，最糟糕的結果會是什麼？我會被狼吃掉嗎？

要當樂觀主義者必須具備一項條件，就是要有因應世界末日的應變計畫。我對許多事情都不擔心，因爲它們一旦發生，我早就預備好了因應的計畫。

我經常告訴學生：「你到荒野裡去的時候，你唯一能夠仰賴的東西就是帶在身上的東西。」所謂的荒野，就是除了家裡與辦公室之外的任何地方。所以，別忘了把錢和修理工具組帶著，想像狼出現的狀況，在背包裡擺一顆燈泡，預先做好準備。

47 道歉要眞誠，否則不如不道歉

道歉不像考試，不是六十分就可以及格。我總是對學生說：向別人道歉的時候，你

的表現只要沒有達到九十分，就不算合格。

不情願或是不眞誠的道歉，通常比不道歉更糟糕，因爲接受道歉的對方會覺得這種道歉是一種侮辱。你如果對別人犯了錯，就好像你們兩人的關係感染了疾病。眞誠的道歉就像抗生素，草率的道歉則像是在傷口上灑鹽。

團隊合作在我的課堂上是不可或缺的要素，因此學生之間也難免會出現摩擦。有些學生不肯負起自己的責任，有些學生則是過於自大，瞧不起自己的夥伴。等到學期過了一半的時候，總是有些人必須向別人道歉。該道歉的學生要是不道歉，情況就會失控。所以，我經常提供學生一些道歉的指導方針。

首先，我都會提出道歉的兩種典型惡例：

一、「很抱歉我的行爲讓你感到受傷。」（這麼說表示你有意安撫對方的情緒，可是明顯可以看出你根本不打算彌合傷口。）

二、「我爲我的行爲道歉，但你也必須爲你的行爲向我道歉。」（這不叫道歉，這叫做要求對方道歉。）

適當的道歉必須具備三項要素：

一、我做的事情是錯的。

二、我對自己傷害到你感到很難過。

三、我該怎麼做才能彌補過錯？

沒錯，有些人也許會利用第三項要素占你便宜，可是大多數人都會真心接受你彌補過錯的舉動。對方可能只會要求你做出某些簡單的小事以彌補裂痕，而且對方自己通常會更加努力和你重修舊好。

學生常問我：「如果我道歉了，可是對方卻不回過頭來向我道歉呢？」我的回答是：「你沒辦法控制別人的反應，所以不必煩惱這種事情。」

就算對方真的對你有所虧欠，而你對他的道歉又確實發自內心，對方還是有可能不會馬上向你道歉。畢竟，他也必須先讓自己的情緒平靜下來，並且鼓起向你道歉的勇氣。雙方要同時達到這種狀態的機率有多大呢？所以，耐心等待吧。在我的職業生涯中，我有好幾次都是先看到一位學生道歉，然後過了幾天之後，他隊友的態度才軟化。

你的耐心一定會獲得別人的肯定與回報。

48 說實話

我如果只能給別人三個字的忠告，那麼這三個字一定是：「說實話。」如果可以再多三個字，我會在前面加上「一定要」。我父母教我：「說到就要做到。」這句話最能表達這樣的概念。

誠實不只合乎道德，也是有效率的行爲。社會上如果所有人都說實話，你就不必花一大堆時間查證他們的話。我在維吉尼亞大學教書的時候，總是喜歡採取榮譽制。學生如果在考試當天生病請假，必須事後補考，我不會另外出一份考卷。學生只需要「口頭保證」自己沒有向別人問過題目內容，然後我就會拿原本的考卷讓他補考。

人說謊有許多原因，通常是因爲這麼做似乎可以讓他們花比較少的力氣得到自己想

要的東西。不過，就像許多短期策略，說謊就長期而言是沒有用的。你日後還是會遇到被你騙過的人，他們一定會記得你說過謊，而且也一定會把你的惡行告訴別人。這就是說謊最讓我覺得驚訝的地方，說謊的人總以爲自己能夠得逞——但實際上根本沒有。

49 重溫蠟筆的香氣

認識我的人，偶爾不免會抱怨我總是以黑白分明的態度看待事情。

實際上，我一個同事總是這麼告訴別人：「你如果想要黑白分明的建議，就去找蘭迪。可是你如果想要灰色地帶的建議，找他就一點用都沒有。」

好吧，我承認我的確是如此，尤其是年輕的時候。我以前常說我的蠟筆盒裡面只有兩種顏色的蠟筆：黑色和白色。我猜這就是我喜歡資訊科學的原因，因爲電腦上幾乎一切事物都只有眞、僞兩種情形。

不過，隨著年齡增長，我也開始體認到，一盒好用的蠟筆也許不一定只有兩種顏色。只是，我至今仍然認爲，你如果以正確的方式經營人生，黑白兩色的蠟筆一定會比其他顏色更快用完。

話說回來，不論什麼顏色，我還是很喜歡蠟筆。

在我的最後演講上，我帶了幾百根的蠟筆。我希望每個人走進演講廳的時候，都能夠拿到一根蠟筆。不過，我在忙亂之中卻忘了請門口的人員幫我把蠟筆發出去，眞可惜。我原本打算這麼做：在我談到兒時夢想的時候，我要請所有人閉起眼睛，用手指撫摸蠟筆——感覺蠟筆的質地、體會紙和蠟的觸感。然後，再要求他們把蠟筆拿到鼻子前面，深深吸一口氣。聞到蠟筆的味道，是不是讓你馬上回想起童年的時光？

我曾經看過一個同事對一群人這麼做，也就是因此深受啓發。實際上，我在那之後就經常在襯衫口袋裡帶著一根蠟筆。每當我需要回到過往的時光，我就會把蠟筆拿到鼻子前面，好好聞一聞。

我特別喜歡黑色蠟筆和白色蠟筆，但這只是我自己的偏好。每一種顏色的蠟筆都同樣有效。聞聞看，你就會知道了。

50 價值十萬美元的胡椒鹽罐

在我十二歲而我姐姐十四歲那一年，我們全家到奧蘭多的迪士尼世界去玩。我爸媽認爲我們年紀已經夠大，可以讓我們自己在遊樂園裡到處逛一逛。在那個還沒有手機的年代，爸媽只告誡我們小心一點，並且約定九十分鐘後會面的地點，然後就把我們放生了。

想想看我們那時候有多麼興奮。我們身在世界上最棒的地方，而且竟然還可以自由探索。我們非常感激爸媽帶我們到那裡去，還認爲我們已夠成熟，可以自己玩耍。於是，我們姐弟兩人決定把零用錢湊一湊，買個禮物感謝他們。

我們走進一家店，找到了心目中的理想禮物：一只陶瓷的胡椒及鹽罐，造型是一棵樹掛著兩頭熊，每頭熊各自抱著裝鹽和裝胡椒的容器。我們花十美元買下了這個禮物，走出商店，蹦蹦跳跳地到「美國大街」上找尋下一個好玩的地方。

我拿著禮物，結果一不小心掉到地上摔破了，姐姐和我因此哭了起來。一個成人遊客看到事情發生的經過，於是走到我們身旁。「拿回店裡去，」她說：「他們一定會給你們換一個新的。」

「不行啊，」我說：「是我自己的錯，是我把它摔在地上的，老闆怎麼會願意幫我們換新的？」

「試試看嘛，」那人答道：「你怎麼知道結果會怎麼樣呢？」

我們於是回到了那家店……而且沒有說謊，我們說明了事情的經過。店裡的員工聽完我們悲慘的故事之後，向我們笑了笑……然後說我們可以換一只新的胡椒鹽罐。他們甚至還說是他們的錯，因爲他們包裝得不夠安全。他們的意思是說：「我們的包裝應該要禁得起十二歲孩子因爲過度興奮而掉落在地上的衝擊力。」

我大吃一驚。不只是感激，簡直是不敢置信。我姐姐和我離開那家店的時候，似乎是飄著出來的。

我爸媽得知這件事之後，對迪士尼世界的好感更是大幅提升。實際上，店員爲那只十美元的胡椒鹽罐所採取的顧客服務，後來爲迪士尼賺進了超過十萬美元。

且容我細細道來。

多年後，我在擔任迪士尼夢想工程顧問的期間，不時會與迪士尼集團非常高階的主管交談。每次只要逮到機會，我就會向他們提起那只胡椒鹽罐的故事。

我向他們說，那家禮品店的服務人員讓我姐姐和我對迪士尼的印象非常之好，我父母也因此對迪士尼完全另眼看待。

從此以後，我爸媽就把遊訪迪士尼世界納入他們的志工工作當中。他們會開一輛二十二人座的巴士，從馬里蘭州載送學英語的外國學生到這座遊樂園去玩。二十多年來，我爸爸總是買票讓數十名孩子入園，我通常也都會跟著去。

整體來看，自從那天以來，我們家已經爲迪士尼世界貢獻了超過十萬美元，包括爲自己和別人買票，還有吃東西，以及買紀念品。

每次我向現在的迪士尼主管說完這段經歷，最後總是會問他們：「現在我如果叫一個小孩拿著摔壞的胡椒鹽罐到你們的禮品店去，你們的客服方針會允許員工換一個新的給他嗎？」

這些主管總是支支吾吾地答不出來。他們知道答案：大概不會。

原因大概是，他們的會計系統完全無法計算出一只十美元的鹽罐，怎麼能夠造成十萬美元的收入。因此，不難想見現在的孩子運氣不會太好，一旦遇到同樣的狀況，大概

只能空手走出禮品店。

我要傳達的訊息是：衡量利潤與損失的方法不只一種。在各個層面上，企業都能夠也應該發揮人性。

我媽還保留著那只價值十萬美元的胡椒鹽罐。迪士尼世界的員工幫我們免費更換新品的那一天，對我們而言是非常美好的一天——但迪士尼也因此獲益良多呢！

51 職業無貴賤

根據調查，現在的年輕人自視愈來愈高，我在自己的學生身上也確實目睹了這種現象。

許多即將畢業的大四生都認爲，企業應該爲他們傑出的創意而雇用他們，有太多學生都不願從基層做起。

我的忠告是：「如果你得到收發室的工作，也應該爲此感到高興。一旦開始上班之後，你必須要做的就是：把整理信件的工作做好。」

沒有人想要聽到別人說：「我不會整理信件，因爲我做這種工作有失身分。」絕對沒有哪一種工作會有失我們的身分。況且，你如果不會（或者不願）整理信件，那你又憑什麼證明自己能做其他工作？

娛樂科技中心的學生獲得企業雇用爲實習生或員工之後，我們通常會請公司向我們回報學生的表現狀況。公司主管幾乎從來不曾抱怨過我們學生的工作能力或專業技術。不過，每當我們拿到負面的評語，十之八九都是提到這些新員工太自以爲是，或者眼睛長在頭頂上。

我十五歲的時候，曾在一座草莓園做過鋤草的工作。當時我的同事大多是臨時工人，但也有少數幾位老師趁著暑假到那裡工作賺取外快。我曾對我爸爸說，那些老師到那裡工作實在有失身分（我猜我是想暗示那份工作對我來說也太過卑下）。結果我爸爸狠狠數落了我一頓，他認爲勞動工作絕不會損及任何人的身分。他說他寧可我努力工作，成爲世界上最傑出的挖溝工人，也不希望我隨波逐流，成爲自以爲是的白領上班族。

我回到了草莓園，還是不喜歡那份工作。不過，我把我爸爸的話聽進去了。我改變了自己的態度，工作的時候比先前認眞了一點。

52 確知自己的定位

「好吧，教授小子，你能爲我們做些什麼？」

這是迪士尼夢想師海莉（Mk Haley）首次招呼我的話。她才二十七歲，負責在我到迪士尼工作的特休期間帶我進入狀況。

在這個地方，我的學術資歷毫無意義。我就像是個到了外國異地的旅客，必須想辦法獲得當地的錢幣，而且速度要快！

多年來，我一再向學生提起這段經歷，因爲這是人生中非常重要的一課。

當上夢想師雖然實現了我兒時的夢想，但原本在學術圈裡呼風喚雨的我，到了這個

毫無規則可循的地方，卻變得格格不入，我必須想辦法讓自己的書呆子個性融入這種不成功便成仁的創意文化裡。

在那個時候，阿拉丁虛擬實境遊樂設施正在艾波卡特主題樂園（Epcot）進行測試，我於是參與了其中的工作。我和其他夢想師一同負責訪問遊客，了解他們對這項遊樂設施的反應。他們會不會感到頭暈或者想吐？

有些同事認爲我採用的學術做法完全不適用於現實世界。他們覺得我太注重資料分析，太堅持從科學的角度看待事情，而忽略了情感的角度。這可說是典型的學術界（我）和典型的娛樂界（他們）所產生的衝突。不過，我後來設計出新的動線，可以在每個遊客身上節省二十秒的時間，才終於讓他們對我稍微刮目相看。

我之所以對學生講述這段經歷，目的是要強調人從一種文化跨進另一種文化的時候，必須非常敏感。對我的學生而言，這種文化的轉變就是從學校跨入職場。

結果，在我特休結束的時候，夢想工程公司提供了我一份全職的工作。掙扎許久之後，我終於婉拒了他們的好意，因爲教書的召喚對我來說還是太過強烈。不過，由於我已找出方法，在學術界和娛樂產業裡都能夠如魚得水，因此迪士尼也想出辦法讓我得以繼續參與他們的工作。我每週到夢想工程公司擔任一天的顧問，以這種方式和他們合作

了十年。

你如果能夠在兩種文化當中找到自己的定位，說不定能夠同時享有這兩個世界。

53 絕不放棄

我高三那年向布朗大學申請入學，結果只獲得備取。我打電話到他們的入學辦公室一再遊說，最後他們終於決定收我這個學生。他們看到了我有多麼想進這所學校，不屈不撓的爭取讓我跨越了這道磚牆。

我即將從布朗大學畢業的時候，根本沒想過要繼續讀研究所。我家的人總是接受過教育，然後就出社會工作，沒有人會一再接受教育。

不過，安迪·范丹——我的「荷蘭大叔」，也是我在布朗大學的恩師——卻給了我這項忠告：「拿個博士學位，當教授吧。」

「爲什麼？」我問他。

他說：「因爲你是很優秀的推銷員，所以如果你去公司上班，他們就會讓你當推銷員。既然你要推銷產品，那麼還不如推銷點有意義的東西，例如教育。」

我終身感激他的這項忠告。

安迪要我申請卡內基美隆大學，他過去已經把一連串最好的學生都送到那裡去了。「你一定會被錄取，沒問題的。」他說。他幫我寫了一封推薦函。

卡內基美隆大學的所有教員讀了他對我盛讚有加的推薦函，也看了我還算中上的學業成績，以及並不出色的研究生資格考分數。然後，他們審閱了我的申請書。

他們駁回了我的申請。

我申請其他博士班都順利過關，但卡內基美隆大學卻不要我。於是，我到安迪的辦公室去，把對方回絕我的信函丟在他桌上。「我要讓你知道卡內基美隆大學對你的推薦有多麼重視。」我說。

那封信一丟到桌上，安迪馬上拿起電話。「我來搞定。我一定會讓你入學。」他說。

但我阻止了他。「我不要用這種方式入學。」我對他說。

於是，我們達成了一項協議。我先去試試那些接受了我的學校，如果都不喜歡，再回來找他，那時候我們再談。

結果，其他學校都不適合我，所以不久之後我就回到了安迪的辦公室。我說我決定不念研究所，直接去找工作。

「不行不行不行，」他說：「你一定要拿到博士學位，而且一定要去卡內基美隆大學。」

他拿起電話，打給尼科．哈伯曼（Nico Habermann），卡內基美隆大學的資訊科學系主任，他也剛好是荷蘭人。他們用荷蘭語談了一陣子，然後安迪掛上電話，對我說：「明天早上八點到他辦公室去。」

尼科看起來很有威嚴，屬於老一派的歐式學者。我之所以能夠和他會面，很顯然只是因為這是他朋友安迪的請求。他問我，既然系所方面已經評估了我的資格，那麼他有什麼理由應該重新考慮我的入學申請？我小心翼翼地說：「你們審核過我的入學申請之後，我又取得了海軍研究辦公室提供的獎學金。」尼科嚴正地回答道：「有沒有錢不是我們評估學生的標準；我們會利用研究經費資助學生。」然後他便瞪著我看。說得精確一點，他的眼神根本穿透了我。

一個人一生中都會有少數幾個關鍵時刻，你如果事後回想起來，能夠明瞭到那一刻是你人生中的轉捩點，即可算是相當幸運，但我卻在當時就體認到那是我人生中的關鍵時刻。那時候的我雖然年輕高傲，但我還是盡量放低身段，說道：「不好意思，我無意暗示入學審查和錢有關，只是這項獎學金在全國只有十五個名額，所以我認爲這是一種榮譽，也許可以讓你們納入考量。如果這麼說太過冒昧，那我先向您道歉。」

我只能說出這麼一個答案，但這也是實話。尼科冷酷的表情過了好一陣子才慢慢和緩下來，然後我們又談了幾分鐘。

我和其他幾位教授會面之後，終於獲得卡內基美隆大學的接納，後來也順利取得博士學位。我得以跨越這堵磚牆，主要是因爲我恩師的大力幫忙，同時也加上了我誠心擺出的謙卑姿態。

我在發表最後演講之前，從來不曾向卡內基美隆大學的學生或同事說過我當初申請入學的時候曾經遭到駁回。我在怕什麼呢？我是不是怕他們會覺得我的才智不足以和他們平起平坐？還是怕他們因此不把我當一回事？

人在死期將近的時候決定揭露哪些祕密，實在相當有趣。

我實在早就應該向別人講述這段經歷，因爲其中具有這麼一項寓意：你如果眞心想

要一個東西，就絕對不要放棄（並且大方接受別人的幫忙）。

磚牆的存在是有原因的。而你一旦跨越了磚牆，就算是別人把你拋過去的，和其他人分享這項經驗還是可能對人有幫助。

54 對公共福祉貢獻心力

在這個國家裡，我們非常強調人民權利的觀念，這樣當然沒錯。不過，要是不談義務，那麼只談權利也是沒有意義的。

權利有其來源，這個來源就是社群。爲了回饋社群給予我們的權利，所有人也都對社群負有義務。有些人把這種概念稱爲「社群主義」運動，但我認爲這是人的基本常識。

許多人都已經忘卻了這種概念。在我擔任教授的二十年間，我發現有愈來愈多的學

生根本不懂得這種概念。在他們眼中，權利必須伴隨義務的概念是種完全陌生的想法。

每個學期開始的時候，我都會要求學生簽訂一份協議，在其中概要列出他們的義務和權利。他們必須同意在團隊中以建設性的態度與別人合作，參與若干會議，並且藉由提供誠實的回饋協助同僚。另一方面，他們則有權利到教室上課，所做的作業也能夠獲得評分，並且展示給班上同學看。

有些學生對於簽署這樣的協議相當猶豫，我認爲這是因爲大人本身通常也都不是社群主義者的模範。舉例來說：我們都認爲自己有權接受陪審團審判，可是有許多人卻千方百計避免出任陪審員。

所以，我只是要我的學生知道，每個人都必須對公共福祉貢獻心力。若是不肯這麼做，只能用兩個字形容：自私。

我爸爸以身教讓我們學會了這一點，但他也尋求各種新方法把這種觀念教導別人。他擔任少棒聯盟理事長的時候，就做過一件非常聰明的事情。

他當時一直很難找到人自願擔任主審。主審是一份吃力不討好的工作，因爲你不論判出好球或壞球，總是會有些孩子或父母認爲你判得不正確。另外還有恐懼的問題，因爲主審必須站在打者身後，而那些孩子對自己手上的球棒通常沒什麼控制力，投手也可

能把球丟到你身上。

不過，我爸後來想出了一個主意。與其要求成人自願擔任主審，他決定讓年長組別的球員為年紀較小的孩子擔任主審，而且還把擔任主審變成一種榮譽。

他這項決定造成了幾個結果。

擔任過主審的孩子從此了解到這項工作有多麼困難，於是很少再與主審爭吵。他們不但對自己幫助年紀較小的孩子覺得很有成就感，也因為自願擔任主審的行為而成為年幼孩子的模範。

我爸創造了一批新的社群主義者。他知道：我們一旦與別人產生連結，就會成為比較好的人。

55 開口問就是了

我爸爸最後一次到迪士尼世界玩的時候，他和我還有當時才四歲的狄倫一起等著單軌電車。狄倫想要坐在外型看起來很酷的錐狀車頭裡，和駕駛坐在一起。我那熱愛主題樂園的老爸也認爲這樣一定很有趣。

「只可惜他們的車頭不開放給一般人坐。」他說。

「嗯，」我說：「實際上，爸，從我當夢想師的經驗，我知道有個訣竅可以讓我們坐進車頭裡。你想看看是什麼訣竅嗎？」

他說當然。

於是，我走到面帶微笑的迪士尼單軌電車服務員面前，對他說：「不好意思，請問我們三個人可以坐在車頭嗎？」

「沒問題。」他說，隨即打開車門，讓我們坐在駕駛旁邊。這是我一生中少數幾次

想要什麼東西，開口問就是了。

看到我爸露出完全不敢置信的表情。「我只說有個訣竅，」我在電車開動後對他說：「沒有說是很難的訣竅。」

有時候，你想要什麼東西，開口問就是了。

我向來善於開口對別人提出請求。我相當引以爲傲的一次，就是我鼓起勇氣和布魯克斯（Fred Brooks Jr.）聯絡，他是世界上最受敬重的一位電腦科學家。他在五〇年代於ＩＢＭ展開事業，後來又在北卡羅萊納大學創立了資訊科學系。他在資訊科學業界裡說過許多名言，包括：「一項軟體專案的時程如果已經落後，增加人力只會造成落後程度更加嚴重。」（這句話現在已被稱爲「布魯克斯定律」。）

我當時已經將近三十歲，從來沒有見過這個人，於是我寄了一封電子郵件給他，信中問

道：「我如果從維吉尼亞開車到北卡羅萊納，能不能請您撥出三十分鐘的時間和我談談？」

他回信指出：「你如果千里迢迢開車到這裡來，我撥出的時間一定不只三十分鐘。」

他撥給我九十分鐘的時間，並且成了我一輩子的良師益友。多年後，他邀請我到北卡羅萊納大學發表一場演講。那次行程促成了我一生中最重要的時刻——因爲我就是在那個時候認識了潔伊。

有時候，你想要什麼東西，開口問就是了。只要願意開口，你的夢想說不定會因此全部實現。

現在，人生已近尾聲，我更是善於向別人「開口」。大家都知道，醫療檢查結果通常必須等上好幾天。但我現在可不打算浪費時間傻傻等待，所以我總是會問：「我最快能在什麼時候拿到結果？」

「喔，」他們通常會這麼回答：「應該一個小時內就可以出來了。」

「好吧，」我說：「眞高興我開口問了！」

開口問吧，不用怕。獲得肯定答案的機會，一定比你想像的還要頻繁。

56 選邊站：跳跳虎或驢子咿唷

我向卡內基美隆大學校長傑瑞德．柯亨提到我要發表最後演講的時候，他說：「請告訴他們怎麼讓人生充滿歡樂，因爲你在我心目中就是這樣的一個人。」

我答道：「這點我做得到，可是這有點像是叫一條魚談水的重要性。」

我的意思是說，我實在不知道要怎麼不讓自己充滿歡樂。我雖然已經來日無多，卻還是過著充滿歡樂的生活。而且，在我剩下的每一天，我都會繼續享有歡樂，因爲人生就只能這麼過。

我很早就理解到了這一點。在我看來，每個人都必須做出一項決定。在米恩（A. A. Milne）創作的小熊維尼卡通當中，他以不同人物充分象徵了人生中的這項決定。我們每個人都必須抉擇：我要當熱愛歡樂的跳跳虎（Tigger），還是自怨自艾的驢子咿唷（Eeyore）？選邊站吧。我認爲自己在這兩大陣營之間的立足點非常明確。

我在人生中最後一年的萬聖節玩得很開心。潔伊和我裝扮成超人特攻隊，我們的三個孩子也是一樣。我把我們這種裝扮的照片放在網站上，讓大家看看我們這個家庭有多麼「超級」神奇。孩子們看起來很有超人的架勢。我穿上那套肌肉裝，看起來顯得所向無敵。我在照片旁邊寫道，化療對我的超能力沒有造成太大的影響。結果電子郵件蜂擁而入，許多人都說他們覺得這張照片非常有趣。

我在不久前度了個短暫的水肺潛水假期，同行的還有三個我最好的朋友：高中同學傑克·薛利夫、大學室友史考特·薛爾曼，還有我在藝電的好友史提夫·西柏特。我們都知道這場假期背後的含義。他們是我人生中不同階段的朋友，之所以聚在一起，就是爲了和我共度週末，藉此向我道別。

我這三個朋友互相之間並不熟，可是他們很快就對彼此產生了強烈的好感。我們全都是成年人，可是在這段假期中，我們的感覺卻像十三歲的孩子一樣。而且，我們四個人都是跳跳虎。

我們沒有針對我的癌症講出那種「老兄，我愛你」的肉麻台詞，只是單純享受歡樂而已。我們回憶過去的時光、盡情玩耍、互損互虧（實際上，主要都是他們在虧我。因爲我發表了最後演講之後，獲得了「匹茲堡聖蘭迪」的名聲；但他們都認識我，可不會

化療對我的超能力沒有造成太大影響。

相信這一套）。

我不會放棄我心中的跳跳虎，我完全看不出當咿唷有什麼好處。有人問我希望自己的墓誌銘怎麼寫。我說：「蘭迪．鮑許：在診斷出絕症之後活了三十年。」

我向你保證，我一定會把這三十年過得充滿歡樂。可是我如果沒有三十年，那麼不論我有多少時間，我也一樣會把這段時間過得充滿歡樂。

57 看待樂觀的方式

我得知自己罹患癌症之後，其中一位醫生給了我一些忠告。「有一點很重要，」他說：「就是你要假裝自己好像還有很長一段時間可以活。」

在這方面，我早就超過了他的標準。

「醫生，我剛買了一部新的敞篷車，還做了結紮手術，你還要我怎麼樣？」

我不是逃避現實，只是對人生無可避免的盡頭保持清明的觀點。我努力把握時間，是因爲我的死期已經不遠；但也正因我還活著，所以我要充分發揮活力。

有些腫瘤科醫師會幫病人預先排定六個月以上的看診時間，對病患而言，這是一種樂觀的徵象，表示醫生預期他們還能活那麼久。有些罹患絕症的病患，會看著醫生的約診時間，然後告訴自己說：「我要活到那個時候，只要能夠撐到那時候，我就一定會得到好消息。」

我在匹茲堡的醫生傑赫提到，他最擔心病患過度樂觀或是對自己的狀況了解不夠。另一方面，他也不喜歡病患的朋友或熟人告訴他們必須保持樂觀，否則治療就不會有效。他每次看到病患一面承受著身體上的痛苦，又必須爲態度不夠正面積極自責，就覺得很難過。

我個人對樂觀的看法是，這種心理狀態能夠促使你做出足以改善生理狀態的實質行爲。你如果心態樂觀，就比較能夠忍受猛烈的化療過程，也比較能夠持續找尋最新出現的治療方法。

傑赫醫師說我是他心目中「在樂觀與實際之間取得良好平衡」的模範，他認爲我很努力把自己的癌症視爲另一種人生經驗。

不過，我很高興自己的結紮手術不但能夠達到節育效果，同時又能代表我對人生的樂觀態度；我也很喜歡開著新的敞篷車出外兜風。我喜歡想像自己可能成爲萬中選一的癌症病患，得以找出打敗末期癌症的方法。無論如何，就算我打敗不了癌症，這種心態也有助於我好好度過每一天。

58 別人提供的意見

自從我的最後演講開始在網路上傳播開來之後，許多過去認識的人都捎來了問候的訊息，包括兒時的鄰居乃至許久以前認識的朋友。我非常感謝他們溫暖的言語和心思。

看到先前的學生與同事寄來的信，總是會讓我非常開心。有一個同事記得我在他還沒拿到終身職的時候給過他一項忠告，他說我當時告誡他要特別注意系主任講的話（他記得我當時這麼說：「系主任如果漫不經心地建議你做什麼事情，你應該要想像他拿著

趕牛棒刺了你一下。」）。以前的一個學生寄來一封電子郵件，說他因爲我的啓發而建構了一個新的個人發展網站，網站名稱爲「別再混吃等死，過充實人生吧」，目的在於幫助人發揮應有的潛力。這個網站的名稱聽起來有點像我的人生哲學，只是我不會這樣措辭就是了。

爲了不讓我沖昏頭，也有些信件提醒我世界上有些事情永遠不會改變。我在高中曾經追求過的一個女孩寫信祝我一切順利，同時也委婉地提醒了我當初是多麼大的一個書呆子，所以她才沒辦法接受我（同時也有意無意地透露她自己後來嫁了個醫生）。

更重要的是，也有數以千計的陌生人寫信給我，他們的祝福讓我深感振奮。許多人分享了他們和自己所愛的人如何面對死亡與臨死的問題。

一名女士的先生在四十八歲就因胰臟癌去世，她說他的「最後一場演講」只有一小群聽眾：她、他們的孩子、他的父母，還有他的兄弟姐妹。他感謝他們給予他的指引和關愛，回憶了他和他們去過的地方，也告訴他們哪些東西在他的人生中最爲重要。這位女士說，在她先生去世之後，她的家人從諮商當中受益良多：「以我經歷過的體驗，我知道鮑許太太和你的孩子們將來也會需要與人商談、哭泣，以及紀念你的回憶。」

另一名女士，她的先生在兩個孩子分別爲三歲與八歲的時候因爲腦部腫瘤去世。她

向我提供了自己從中獲得的洞見，好讓我轉達給潔伊。「妳一定能夠撐過難以想像的狀況，」她寫道：「妳的孩子將爲妳帶來深刻的慰藉與關愛，也會是促使妳每天早上醒來並且勇敢微笑的最大動力。」

她接著又寫：「在蘭迪還活著的時候，別怕接受別人的幫忙，這樣妳才能充分享受妳和他相處的時間。在他離開之後，也一樣別怕接受別人的幫忙，這樣妳才會擁有力量處理眞正重要的事情。多認識同樣經歷過這種悲痛經驗的人。他們對妳和妳的孩子將會是一大慰藉。」這名女士建議潔伊好好安撫孩子們的心情，讓他們知道自己長大之後還是能夠擁有正常的人生。他們同樣會畢業、會結婚、會有自己的小孩。「父母在這麼年輕的時候去世，有些小孩會以爲自己可能也無法經歷其他正常的人生過程。」

一位四十歲出頭的心臟重症病患寫信向我介紹了克里希那穆提，這是一位死於一九八六年的印度性靈導師。曾經有人問過克里希那穆提，面對即將去世的朋友，應該說什麼話最恰當。他的回答是：「告訴你的朋友，他一旦去世，你的一部分也會因此死去，隨著他離開世界。不論他去什麼地方，你也會跟著他去。他絕對不會孤單。」在這封電子郵件裡，這個人安撫著我：「我知道你不孤單。」

有些因爲我的最後演講而與我接觸的名人，也說了些讓我深受感動的話語和祝福。

舉例而言，電視新聞主播黛安・索耶（Diane Sawyer）訪問我的時候，在錄影空檔幫助我更明確思考我日後留給孩子們的模範。她給了我一項非常美妙的忠告，我知道我會爲我的孩子留下信件與影片，可是她對我說，眞正重要的事情是要告訴他們每個人讓我難以忘懷的特殊之處。所以，我在這方面想了很多。我決定對我的每一個孩子說出類似這樣的話：「我喜歡你笑的時候把頭往後仰的模樣。」我將讓他們有些能夠具體記得的事物。

爲潔伊和我提供諮商的萊絲醫師，也幫我找出了一些策略，避免我在定期癌症掃描的壓力下迷失了自我。這麼一來，我才能夠以開放的心胸與積極的心態，把全部注意力集中在我的家人上。我一生中向來對諮商的效果深感懷疑，現在，在我已經走投無路的時候，我才發現諮商對人的幫助有多麼大。我眞希望能夠到腫瘤科的病房去，向那些試圖自己面對病魔考驗的患者述說我的這項體會。

＊＊＊

許多、許多人都寫信向我談到信仰，我非常感激他們的建言和祈禱。

我的父母認爲信仰是非常私人的事情，我沒有在演講裡談到自己信仰的宗教，因爲

我想要談的是能夠適用於各種信仰的普世原則，分享我從人際關係中學到的東西。

當然，有些人際關係發生在教會裡。克爾希（M. R. Kelsey）是我們教會的一名婦女。我動完手術後，她連續十一天每天都到醫院陪伴我。自從我診斷發現罹癌之後，我的牧師也幫了我很多忙。我們在匹茲堡住在同一個社區，到同一個游泳池游泳。我在前一天剛得知自己的病症已經沒有痊癒的希望，第二天我們兩人剛好都出現在游泳池。他坐在池畔，我則爬上跳板。我向他眨了眼，然後翻身跳進水裡。

我游到游泳池畔的時候，他對我說：「你看起來很健康呢，蘭迪。」我答道：「這就是矛盾的地方。我覺得很健康，看起來也很健康，可是我們昨天聽說我的癌症復發了，醫生說我只剩下三到六個月。」

在那之後，他和我就多次談到該怎麼爲自己的大限之日預做準備。

「你有保壽險嘛，對不對？」他說。

「有，都沒問題。」我對他說。

「嗯，你也需要情感保險。」他說。他接著指出，情感保險所必須繳的保費不是錢，而是時間。

爲了達到這個目標，他建議我多花點時間用攝影機拍下我自己和孩子們相處的情

景，這樣他們日後就能夠看到我們怎麼玩耍歡笑。多年後，他們將能夠看到我們是多麼自在地互相觸摸、彼此互動。他也談到我能夠做些什麼具體的事情，以便為潔伊留下一份愛的紀錄。

「你如果趁著現在身體感覺還好的時候多付點情感保險的保費，那麼你將來幾個月的負擔就會比較輕，」他說：「這樣你就能夠比較平靜。」

我的朋友，我的親人，我的牧師，素未謀面的陌生人。每天我都會收到別人提供的意見，他們的祝福讓我深感振奮。我真的得以看見人性最美的一面，對此我深懷感恩。在這段旅程上，我從來不曾感到孤單。

六

結語：用自己的方式退場

59 我對孩子們的期望

我有好多話想要告訴我的孩子，可是他們現在還太小，沒辦法理解這些話的意義。狄倫剛滿六歲，羅根三歲，克蘿怡只有十八個月大。我希望孩子們能夠知道我是什麼人，我有哪些信念，以及我對他們各個方面的愛。以他們目前的年齡，說這些他們一定都聽不懂。

我希望孩子們能夠了解我有多麼不願意離開他們。

潔伊和我甚至還沒告訴他們我的日子已經所剩無幾了。我們聽從了別人的建議，決定等到我的健康情形開始敗壞之後再告訴他們。現在，雖然我只剩下幾個月可活，但我看起來還很健康。所以我的孩子們還不知道我每次和他們在一起，都是在向他們道別。

一想到他們年紀較大之後不會再有父親陪伴在身邊，我就覺得心如刀割。我洗澡的時候常在浴室裡面痛哭，但我心裡想的不是「我不會有機會看到他們做這件事」，或者

「我沒機會看到他們做那件事」，而是想著他們身邊不會有父親陪伴。我比較在乎的不是我自己會失去什麼，而是他們會失去些什麼。沒錯，我一部分的哀傷確實來自於「我將沒有機會，我將沒有機會，我將沒有機會……」，可是有更大一部分卻是爲了他們而感到難過。我一再想到：「他們不會有機會……他們不會有機會……他們不會有機會……」在我消沉的時候，這樣的念頭最讓我心痛。

我知道他們對我只會留下模糊的記憶，所以我總是盡量找出會讓他們終身難忘的事情，然後陪他們一起做。我希望他們的回憶能夠愈鮮明愈好。狄倫和我度了個小假，去和海豚一起游泳，孩子絕對不會輕易忘記自己和海豚一起游泳的經驗，我們拍了很多照片。

我要帶羅根去迪士尼世界，我知道他一定會和我一樣深深愛上那裡。他想和米老鼠見面，我已經見過米老鼠，所以我可以介紹他們認識。潔伊和我也會帶狄倫一起去，因爲現階段的羅根不論做什麼事，只要沒有和哥哥一起做，他獲得的經驗就會覺得不完整。

每天晚上到了就寢的時間，我只要問羅根他這一天最快樂的是什麼時刻，他的回答總是：「和狄倫玩。」我要是問他這一天最不快樂的時刻，他的回答也總是：「和狄倫

和狄倫共創回憶。

玩。」總而言之，他們是關係非常親密的兄弟就對了。

我知道克蘿怡可能根本不會記得我，她還太小。可是我希望她長大之後，能夠知道我是她這輩子第一個愛上她的男人。我以前一直以為所謂的父女情深只是誇大其詞，但我現在可以告訴你，這確實是真的。有時候，她只要看我一眼，我就會全身酥軟。

他們長大之後，潔伊可以告訴他們許多關於我的事。她也許會談到我的樂觀心態、我熱愛歡樂的個性，以及我為自己的人生定下的高標準。她也許會委婉地向他們提到我令人抓狂的地方，我對人生過度理性的看待方式，還有我總是堅持自己的看法最正確。不過，她相當謙遜，比我謙遜得多，所以她

可能不會向孩子們提起這一點：在我們的婚姻裡，她有個眞心深愛著她的男人，而且，她也不會向他們提到她自己的犧牲。育有三個小孩的母親一定必須把時間投注於照顧他們，再加上一個罹患癌症的先生，結果就是她總是不斷因應著別人的需求，而無暇顧及自己的需要。我希望孩子們知道她是多麼無私地照顧著我們。

近來，我刻意和從小失去父母的人談話，我想要知道他們怎麼度過那段艱苦的時光，又有哪些紀念品對他們而言最具意義。

他們說，只要發現自己的媽媽或爸爸有多麼愛自己，就會感到非常欣慰。他們愈是知道父母有多麼愛他們，就愈能夠感受到那份愛。

他們也想擁有讓自己引以爲榮的理由，他們一心想要相信自己的父母是了不起的人物。有些人會深入探究爸媽的具體成就，有些人選擇自己建構神話。但無論如何，他們全都渴望知道自己的父母有什麼獨特之處。

這些人還告訴了我另外一件事情。由於他們對父母的記憶非常少，所以只要知道父母去世的時候帶著他們的美好回憶，就會讓他們感到舒坦許多。

爲了達到這個目標，我要讓我的孩子知道我心中充滿了他們的回憶。

先從狄倫說起。我非常欣賞他充滿關愛與同理心的個性。他如果看到別的小孩受

傷，就會拿一個玩具或一條毛毯去給對方。

我在狄倫身上看到的另一項特質，則是他的思考很有條理，和他老爸一樣。他早就理解到問題比答案更爲重要。許多孩子只會一再問：「爲什麼？爲什麼？爲什麼？」我們家裡有一個規則，就是不能問這麼籠統的問題。狄倫深深認同這項概念，他喜歡提出明確的問題，而且他問的問題遠遠超越了他的年齡。我記得他的幼稚園老師非常讚賞他，曾經對我們說：「和狄倫在一起的時候，心裡就會出現這樣的想法：我眞想看看這孩子長大後會是什麼模樣。」

狄倫也是好奇之王。他不論在哪裡，總是會看著其他地方，想著：「嘿，那邊有個東西！趕快過去看看，或是摸一摸，或是把它拆開。」路旁如果有一道白色圍籬，有些小孩就會拿著木棍劃過圍籬的表面，聆聽「喀、喀、喀」的聲音。狄倫比他們更進一步，他會用木棍把圍籬的其中一片木板撬下來，然後用這片木板劃過圍籬的表面，因爲圍籬的木板比較粗厚，敲擊發出的聲音比較好聽。

至於羅根，則是會把一切事情都變成刺激的冒險。他出生的時候卡在產道裡，結果兩個醫生用鑷子猛拉，才終於讓他順利誕生。我記得當時其中一個醫生還用腳撐在生產檯上，用盡全身力氣拉扯。他那時還轉過頭對我說：「如果行不通的話，我們後面還有

羅根是典型的跳跳虎。

繩索和馱馬。」

羅根通過產道的過程非常辛苦。由於他卡住了很長一段時間，所以剛生下來的時候手臂都沒有動。我們很擔心，但是沒有擔心太久。他一開始動之後，就再也沒有停下來。他全身充滿了正面的能量，活力充沛，而且一點也不怕生。他笑的時候，整張臉都笑了開來。他是典型的跳跳虎，什麼都不怕，看到人就會想和對方親近。他現在才三歲，可是我猜他將來一定會當上大學兄弟會的交際負責人。

另一方面，克蘿怡則是個不折不扣的女孩。我這麼說其實是帶著一點肅然起敬的態度，因爲在她出生之前，我根本不知道什麼叫做不折不扣的女孩。她原本排定要剖腹產，可是潔伊的羊水提早破了，結果我們趕到醫院之後不久，克蘿怡就滑了出來（這是我的說法。潔伊可能會說，只有男人才會以爲孩子會自己滑出來）。總之，第一次抱著克蘿怡，看著這個小女孩的臉龐，是我這輩子最強烈的靈性經驗。我感到一種和她之間的連結，而且和我在其他兩個兒子身上感覺到的不一樣。現在，我也已經加入孝女俱樂部了。

我非常喜歡看著克蘿怡。狄倫和羅根在身體活動方面總是相當大膽，但克蘿怡則是小心翼翼，甚至有點一絲不苟。我們家的樓梯上方有一個安全門，可是她根本不需要這道門，因爲她所有的精力都投注在避免自己受傷。潔伊和我早已習慣了兩個兒子絲毫不怕危險地在樓梯上跑跑跳跳，所以克蘿怡的行爲對我們實在是一項全新的體驗。

我對三個孩子都是全心疼愛，但我愛他們的方式又都各自不同。我希望他們能夠知道，只要他們活著一天，我就會深愛著他們。我會的。

不過，由於時間有限，我必須想辦法強化我和他們的情感連繫。所以，我和每個孩子都各自建構了不同的回憶。我拍下了影片，好讓他們看到我述說他們對我有多麼重

要；我也寫了給他們的信。此外，我也把最後演講的錄影——還有這本書——當成我能夠留給他們的紀念。我甚至還有一個大塑膠箱，裡面裝滿了我在那場演講之後所收到的信件。有一天，孩子們可能會想要翻閱這個塑膠箱裡的信件，我希望他們會樂於發現朋友和陌生人都覺得那場演講深具意義。

由於我極力強調兒時夢想的強大力量，因此近來有些人一再問我對自己的孩子有些什麼夢想。

我對這個問題有個直截了當的答案。

父母如果對孩子有特定的期望，通常會對孩子的發展造成阻礙。身爲教授，我看過許多大學新鮮人心不甘情不願地選修完全不適合自己的科目。這就像是他們的父母強迫他們搭上了一列火車，但從這些孩子到我辦公室裡向我哭訴的情況看來，這列火車通常免不了撞毀的結果。

在我看來，父母的工作應該是鼓勵孩子培養持續終身的興趣，並且發展出追求自身夢想的強烈動力。我們能夠做的，就是幫助他們培養一套能夠達成這項任務的個人工具。

所以，我對兒女的期望非常明確：我希望他們找到自己的道路，由此通往充實的人生。由於我以後沒辦法陪伴在他們身邊，因此我要清楚指出這一點：孩子們，不要浪費

力氣猜想我希望你們成為什麼樣的人。我希望你們成為你們自己想要成為的那個人。

在課堂上看過那麼多學生，我發現許多父母都不了解自己的言語對孩子的影響有多麼大。依據孩子的年齡，以及自信程度的不同，父母無意間說出的話可能就像推土機的推力一樣強大。我甚至也有點後悔自己提到羅根以後可能會成為兄弟會的交際負責人，我不希望他上大學之後，一心以為我希望他加入兄弟會，或者在兄弟會裡擔任領導人等等，他的人生就是他的人生。我只會鼓勵我的孩子以活力與熱情找尋他們的方向，而且，不論他們選擇什麼樣的道路，我都希望他們覺得我就陪伴在他們身旁。

60 潔伊生日快樂

對抗過癌症的家庭都知道，照顧者通常都會淪為配角，病患能把注意力完全放在自己身上，因為他們才是眾人關懷與同情的對象。照顧者則得負責各種繁重的雜務，根本

沒有時間處理自己的痛苦與哀傷。

我太太潔伊不但必須看護我這個癌症病患，還得照顧三個小孩。所以，就在我準備發表最後演講的時候，我也下了個決心。這場演講如果是屬於我的時刻，那麼我就要設法讓大家看到我有多麼愛她，多麼重視她。

以下就是我的做法：在演講接近尾聲之際，我回顧了自己在人生中學到的教訓，從而提到我們不該只著重自己，而應該多關懷別人。然後，我看向後台，問道：「那邊是不是有關注別人的具體範例？可以把它推出來嗎？」

由於演講的前一天是潔伊的生日，因此我在後台安排了一個只插著一根蠟燭的生日蛋糕，擺在一張活動桌上。潔伊的朋友克麗雅・施呂特爾（Cleah Schlueter）把蛋糕推出來之後，我隨即向聽眾解釋道，因爲我沒有好好幫潔伊過生日，所以認爲自己如果能夠找到四百個人幫她唱生日快樂歌，應該能夠讓她開心。所有人熱烈鼓掌，然後開始唱歌。

「祝妳生日快樂，祝妳生日快樂……」

我這時才想到有些人可能不知道她的名字，所以趕緊補充道：「她的名字叫潔伊。」

「潔伊生日快樂……」

那個場面眞是美妙無比，就連在隔壁的旁聽室裡透過螢幕觀看演講轉播的觀眾，也都一同高聲唱歌。

就在所有人都唱著歌的時候，我終於把目光轉向了潔伊。她坐在前排，一面用手抹去淚水，同時臉上掛著意外的微笑。她看起來是那麼動人，又害羞又美麗，又開心又感動……

潔伊和我討論了許多事情，努力在心理上接受我離開之後她必須面對的生活。用「慶幸」兩字形容我的處境未免有點奇怪，可是我心底有一部分確實對於自己不是突然猝死感到慶幸。因爲罹患癌症，我才有機會和潔伊進行這些重要的談話。我的人生如果是在心臟病發或者車禍當中戛然而止，我們就不可能有談話的機會了。

我們談了些什麼呢？

首先，我們都盡量記住，有些最佳的看護忠告，其實來自空服員：「請先爲自己戴上氧氣罩，然後再幫助別人。」潔伊非常關懷別人，以致常常忘了照顧自己。我們在生理或情緒上一旦疲累過度，就無法幫助別人，尤其無法照顧小孩。所以，每天花點時

間獨處，爲自己充電，絕對不是軟弱或自私的表現。在我擔任父親的經驗裡，我發現只要小孩在場，父母親就很難眞正爲自己充電。潔伊知道她必須允許自己把自己擺在第一位。

我也提醒她，她一定會犯錯，重點是不要爲此懊惱。我如果能夠繼續活下去，那麼我們一樣會共同犯下這些錯誤。犯錯是爲人父母者必然的現象，所以她不該把這樣的錯誤視爲自己獨力撫養孩子的結果。

有些單親父母常會落入一種陷阱，就是試圖以物質補償兒女在親情方面的匱乏。潔伊很明白：不論是什麼樣的物質財貨，都抵不過離開了的父親或母親。而且，讓孩子在物質方面予取予求，也會導致他們價值觀的扭曲。

潔伊很可能會和許多父母一樣，在孩子們進入青少年時期的時候面臨最艱困的挑戰。我一生都在學生群裡打滾，我常喜歡認爲自己已經精通了帶領青少年的訣竅。我的態度總是很強硬，但我也了解他們的心態。因此，對於自己無法在孩子們長成青少年的時候在場幫助潔伊，我一直感到很抱歉。

不過，好消息是仍然有其他許多人願意提供幫助，包括朋友與親人，而且潔伊也打算接受他們的幫忙。所有小孩在人生中都需要有一群愛他們的人，喪失了父親或母親的

小孩更是如此。我經常想到自己的父母，他們知道影響我人生發展的力量不能只侷限於他們兩人，所以我爸才會讓我加入葛拉翰教練的美式足球隊。潔伊也會幫我們的孩子找個像葛拉翰教練這樣的好老師。

至於那個顯而易見的問題，以下是我的回答：

最重要的是，我希望潔伊在未來的日子裡能夠快樂。如果再嫁能夠讓她快樂，那當然很好；如果她不再嫁就能夠過得快樂，那也很好。

潔伊和我非常努力經營我們的婚姻，我們愈來愈善於溝通，愈來愈善於體察對方的需求和長處，也在彼此身上發掘了愈來愈多的優點。所以，一想到在往後的三十或四十年間，將不能再繼續體驗這段豐富充實的婚姻，我們就深感難過。我們過去付出了這麼多的努力，未來卻不能享有這些努力的成果。儘管如此，這八年的婚姻仍是我們人生中最珍貴的財產。

到目前爲止，我知道我對自己的診斷結果因應得還算良好，潔伊也是。就像她說的：「沒有人需要爲我哭泣。」她是說眞的。不過，我們也必須誠實，諮商雖然對我們幫助很大，但我們仍然不免經歷許多困難的時光。我們曾經在床上哭到睡著，然後醒過來繼續哭。我們之所以撐得過來，一部分的原因是強迫自己把注意力放在眼前必須處理

的事務。我們不能崩潰，我們必須獲得睡眠，因爲每天早上至少必須有一個人起來爲孩子們準備早餐。我要鄭重宣布，那個人幾乎總是潔伊。

我剛過完四十七歲的生日，潔伊爲此必須面臨這個問題：「在妳愛人的最後一個生日上，該送他什麼禮物？」最後她選了一只錶和一部大螢幕電視。我雖然不是特別喜歡看電視，而且向來認爲電視是人類最浪費時間的發明，但這項禮物卻非常適當。由於我在人生最後的時刻大概都只能躺在床上度過，因此電視將成爲我和外在世界的少數連繫之一。

有時候，潔伊會對我說些我無法回答的話。她說：「我沒辦法想像以後在床上翻過身來卻發現你不在旁邊。」還有：「我沒辦法想像自己帶著孩子們去度假，而你竟然不在我們身邊。」還有：「蘭迪，你最會規畫事情了，以後我要找誰做計畫？」

我不擔心。潔伊絕對能夠好好規畫未來的生活。

＊＊＊

在聽眾爲潔伊唱完生日快樂歌之後，我實在不知道自己該做些什麼或說些什麼。不過，就在我把潔伊喚上台，看著她走向我的時候，我突然產生了一股本能的衝動。我猜

她也是。於是，我們互相擁抱親吻，我先是吻她的嘴唇，接著又吻了她的臉頰。聽眾不斷鼓掌。我們雖然可以聽到他們的聲音，卻覺得他們好像在很遠的地方。

我們互相擁抱的時候，潔伊在我耳邊低語了一句話：

「求求你不要死。」

這句話聽起來像是好萊塢電影裡的對白，可是她當時就是這麼說的。我只能更用力抱緊她。

61 夢想會自己實現

好幾天以來，我一直擔心自己在最後演講上會因爲哽咽而無法把最後的幾句話說出來。所以，我準備了一個應變計畫，我把演說的最後幾句話寫在四張投影片上。這麼一來，我在台上如果無法把這幾句話說出來，我就會靜靜地把幾張投影片依序播放出來，最後再說：「謝謝大家今天的出席。」

我上台一個小時之後，就因爲化療的副作用、長時間的站立，以及情緒上的起伏，而覺得精疲力盡。

不過，我同時也覺得平和而滿足，我的人生已經達到圓滿的終點。我在八歲的時候列出了兒時夢想的清單，三十八年後，這份清單又幫助我說了我必須說的話，而且也讓我撐了過來。

許多癌症病患都說他們因爲罹病，而對人生有了更深刻的全新體認。有些人甚至說

他們對自己罹病覺得感恩，我對自己的癌症沒有這種感激之情，但能夠提前知道自己大限將至，這點倒是讓我深覺感恩。這點不但讓我得以爲家人將來的生活預做準備，也讓我有機會到卡內基美隆大學發表最後演講。就一方面而言，預知自己的死期，讓我得以「用自己的方式退場」。

此外，我那份兒時夢想的清單仍然持續發揮著各式各樣的功能。如果沒有這份清單，我大概就沒辦法對所有我應該感謝的人表達感激。最後，這份小小的清單也讓我得以向所有在我人生中深具意義的人道別。

另外還有一件事。身爲科技人，我從來不曾眞正了解自己多年來認識，以及教過的那些藝術家及演員。他們有時候會談到自己內心有些東西「必須釋放出來」，我總是認爲這種說法聽起來有點任性。不過，我實在應該對他們多點同理心。我在講台上站了那一個小時的經驗讓我學到了一件事（至少我還持續在學習），我內心確實有些東西迫切需要釋放出來。我發表那場演講，不只是因爲我想要那麼做，而是因爲我不能不那麼做。

我也知道演講最後的那幾句話爲什麼會對我的情緒產生這麼大的影響，原因是我在演說最後，一定要總結提出我對自己人生走到盡頭的感覺。

在演說接近尾聲的時候，我花了一分鐘的時間回顧了先前提出的幾項要點。然後，我提出了總結，但不只是一項直截了當的總結，你可以說我為聽眾準備了一個出乎意料的結局。

「所以，今天談的內容是實現兒時夢想，」我說：「可是你們發現了其中的假動作嗎？」

我暫停了一會兒。全場一片靜默。

「重點不在於你要怎麼實現自己的夢想，而是在於怎麼過你的人生。你如果以正確的方式度過人生，上天自然會眷顧你。夢想會自己實現。」

我換了下一張投影片，螢幕上出現一個問題：「你們有沒有發現第二個假動作？」

我接著告訴他們：這場演講的對象不只是現場的聽眾，「而是我的子女」。

我播放了最後一張投影片，是我站在家裡的鞦韆旁所拍的照片。照片裡的我，右手抱著面帶微笑的羅根，左手抱著甜美的克蘿怡，狄倫則開心地跨坐在我的肩膀上。

誌謝

我深深感謝鮑伯・米勒（Bob Miller）、大衛・布萊克（David Black），以及蓋瑞・莫里斯（Gary Morris）。我也要特別感謝編輯威爾・巴列特（Will Balliett）在這段期間所展現的親切與執著，還有傑弗利・札斯洛無比的才華與敬業。

我必須感謝的人太多，無法容納在一頁的篇幅裡。所幸，網頁是可以向下捲動的：完整的誌謝及表彰名單請見 www.thelastlecture.com 網站。我的「最後演講」錄影也能夠在該網站上收看。

胰臟癌將會奪走我的生命。我參與了兩個矢志對抗這項疾病的機構，分別爲：

胰臟癌行動網（www.pancan.org）

盧斯特加登基金會（www.lustgarten.org）

The Eurasian Publishing Group
圓神出版事業機構
用心與你對話・視野無限寬廣
方智出版社
Fine Press

http://www.booklife.com.tw inquiries@mail.eurasian.com.tw

方智叢書 164

最後的演講

作　　者／蘭迪・鮑許（Randy Pausch）、傑弗利・札斯洛（Jeffrey Zaslow）
譯　　者／陳信宏
發 行 人／簡志忠
出 版 者／方智出版社股份有限公司
地　　址／台北市南京東路四段50號6樓之1
電　　話／（02）2579-6600・2579-8800・2570-3939
傳　　真／（02）2579-0338・2577-3220・2570-3636
郵撥帳號／ 13633081　方智出版社股份有限公司
總 編 輯／陳秋月
資深主編／賴良珠
責任編輯／黃暐勝
美術編輯／劉鳳剛
行銷企畫／吳幸芳・陳羽珊
印務統籌／林永潔
監　　印／高榮祥
校　　對／黃淑雲
排　　版／莊寶鈴
經 銷 商／叩應有限公司
法律顧問／圓神出版事業機構法律顧問　蕭雄淋律師
印　　刷／祥峰印刷廠
2008年7月　初版
2008 年9月10刷

Originally published in the United States and Canada by Hyperion as THE LAST LECTURE by Randy Pausch with Jeffrey Zaslow

This translated edition published by arrangement with Hyperion through Big Apple Tuttle-Mori Agency, Inc., Labuan, Malaysia

All imagery courtesy of the author, with the exception of the photographs on pp.21 and 233, by Kristi A. Rines for Hobbs Studio, Chesapeake, Virginia
Back cover photograph by Laura O' Malley Duzyk

定價 250 元　ISBN 978-986-175-116-0

你本來就應該得到生命所必須給你的一切美好！
祕密，就是過去、現在和未來的一切解答。

——《The Secret 祕密》

國家圖書館出版品預行編目資料

最後的演講 / 蘭迪．鮑許（Randy Pausch）、傑弗利．札斯洛（Jeffrey Zaslow）著；陳信宏譯 . -- 初版.
-- 臺北市： 方智，2008.07
248 面 ；14.8×20.8公分. --（方智叢書 ；164）
譯自：The last lecture

ISBN：978-986-175-116-0（平裝）
1. 鮑許（Pausch, Randy） 2. 癌症 3. 死亡 4. 傳記
5. 美國

785.28 97009336